當代暢銷小說 21

男人與情人們

原著書名／one for my baby
原出版者／HarperCollins Publishers
原著者／Tony Parsons
譯者／王瑞如
責任編輯／辜雅穗

發行人／中天國際法律事務所周奇杉律師
法律顧問／商周出版
出版 104 台北市民生東路二段141號9樓
電話：(02) 2500-7008　傳眞：(02) 2500-7759
E-mail：bwp.service@cite.com.tw
／城邦文化事業股份有限公司
發行 104 台北市民生東路二段141號2樓
電話：(02) 2500-0888　傳眞：(02) 2500-1938
劃撥：1896600-4 城邦文化事業股份有限公司
城邦讀書花園網址：www.cite.com.tw
讀者服務 email: service@cite.com.tw　讀者服務專線：(02) 2500-7397
／城邦（香港）出版集團
香港發行所 香港北角英皇道310號雲華大廈4/F, 504室
電話：(852) 2508-6231　傳眞：(852) 2578-9337
／城邦(新馬)出版集團　Cite (M) Sdn. Bhd. (458372 U)
新馬發行所 11, Jalan 30D/146, Desa Tasik, Sungai Besi, 57000　Kuala Lumpur, Malaysia.
電話：(603) 9056-3833　傳眞：(603) 9056-2833

封面設計／楊啓巽
打字排版／極翔企業有限公司
印刷／韋懋印刷事業股份有限公司
總經銷／農學社
電話：(02) 2917-8022　傳眞：(02) 2915-6275

■2004年1月 初版　Printed in Taiwan
定價／280元

　ISBN 986-124-102-7

國家圖書館出版品預行編目資料

男人與情人們／東尼・帕森斯（Tony Parsons）作；王瑞如譯.--初版. --臺北市：商周出版：城邦文化發行. 2004[民93]
面： 公分.--（當代暢銷小說：21）
譯自：One for my baby
ISBN 986-124-102-7（平裝）

873.57 92021467

男人與情人們

著＝東尼．帕森斯　譯＝王瑞如

one for my baby

TONY
PARSONS

獻給我的兒子

我喜歡你，你很好

吃冷粥

「你一定要吃冷粥。」他曾經對我說。

中國說法，我猜是廣東說法，雖然他拿得是老式英國護照，喜歡說自己是一個英國人，但是他生在香港。我看得出來，他深信的許多重要事項，是從遙遠古老的地方留傳下來的。像食冷粥的說法。

我停下來看他，到底在說什麼？

「吃冷粥。」

他這樣解釋：吃冷粥是表示在外面工作時間很長，長到回家後什麼都沒剩，除了冷掉的米粥。

我想，他跟誰住啊？金髮歌蒂和三隻熊？

他說，人要那樣，才能磨練成精。要精於某種技巧，就要吃冷粥。

人家玩，你做事。人家看電視，你做事。人家睡覺，你做事。

草蜢，如要想成為大師，就要吃冷粥。

事實上，他從來沒叫過我草蜢。

但是，我老覺得他會。

我認真去理解。他不只是老師，也是我的朋友，我一向試著當一個好學生。今天，實在是沒辦法，不知怎麼搞的，我認為吃冷粥的意義跟他所說得不同，完全不同於中國人的說法。

不知怎麼搞的，我腦中想得是：吃冷粥是表示生活艱苦，沒有選擇，經年累月過苦日子。

我認為冷粥是倫敦東區的貧苦夾雜對西區的酸葡萄心理，現在我分不清哪個是哪個。跟我想得完全不一樣。他的意思是說，為了更大的目標，放棄現在的享受，為了長遠的目標，暫停目前的欲望需求。

現在吃冷粥，明天，後天，或是後天以後就可以享受較好的食物，跟金髮歌蒂和三隻熊毫無關係。

如果你生長在九龍貧民區，你可以輕易瞭解自我犧牲的概念。但對從我生長的地方來的人來說，這樣說法難以理解。

對我來說，吃冷粥是持久忍耐必須要忍耐的事，進一步說，是想念一個人，真的非常想念一個人。

我想念她。

她走了，不會回來。

我現在知道。

我無法再親吻她，永遠不能再在她身邊醒來，看著她入睡。

那個完美的時刻，睜開眼睛，傻傻的微笑，以後再也見不到了。有千千萬萬的事，我們不會一起去完成。

「你會再碰見另一個人的，」他說，帶著我父親從未有的耐心說。「過些時候，會有另一個女人，你會再結婚，會擁有小孩跟其他一切。」

他是個好人，想讓我好過些。或許，他真的是那樣想。

可是，我一個字也不相信。

我認為一個人的愛是會用完的，會在一個人身上用光。會愛一個人如此多，如此深，不會有剩餘給別人。

你可以給我全世界的時間，可是找不到一個人可以填補她所留下的缺口。

怎麼可能找到另一個人來代替你的愛呢？

為什麼要這樣做呢？

蘿絲永遠不會回來了。

不會回到我身邊。

不會回到任何人身邊。

或許，我該學習如何去過沒有她的日子，如果我能控制自己想要打電話給她的強烈衝動的話。如果我能牢記不忘，她已經走了，日子會好過些。

可是，我無法控制自己。

一天當中，總會有一次，我想拿起電話打給她。雖然沒有真的撥號，但也差不多了。

你以為我需要看電話簿？我根本用不著記得，我的手指會記得。

我害怕有一天，我會真的撥那個號碼，然後是另一個人來接，一個陌生人，再來呢？我要說什麼？

那種想打電話給她的念頭，隨時隨地襲擊我。一有不愉快或悲傷的時候，就會想要打電話向她述說，就像過去我們是情人時，不，我們比情人更親密。

當我們在一起時。

她走了，我知道她走了。

只是，我有時忘了。

就是這樣。

現在，我知道自己要做什麼。

我要吃冷粥，與那排山倒海而來，想拿起電話的衝動奮鬥。

1

我的心，壞了。

不該這樣的。我應該像別人一樣，有顆正常的心。

我不明白的是，短短十分鐘的慢跑，新球鞋還是那種兩邊帶有閃電圖案的，為什麼我會兩腿酸痛，喘不過氣，至於心臟……更別提了。我的心就像一團哽在腹內的肉。

我的心，在背後剉我。

我的心，隨時在攻擊我。

一個星期天早晨，藍色的九月天，公園裡幾乎沒有人。

有位上了年紀、白髮、膚色黝黑的中國人站在標示著不准打球的草坪上。他大約和我父親一樣大，六十歲吧，但是看起來出奇的年輕、結實。

他穿著寬鬆的黑色長褲，有點兒像睡褲，四肢像在配合著音樂似地緩慢舞動。

之前住在香港時，我常看見老人在打太極拳，他們的動作和緩地像擁有全世界的時間。

我氣喘噓噓地從老人身旁跑過。他兩眼直視，完全沉醉在自己的世界，無視我的存在。我忽然記起自己曾在哪兒看過同樣的臉孔，而且不只一張，是千萬張。

住在香港時，我看過同樣的臉孔：天星小輪的工作人員，九龍的計程車司機，跑馬地憂愁滿面的賭客，小店裡看著可憐小孩寫作業的父母，在大牌檔大聲吃麵的人，以及忙著把舊建築翻蓋成新摩天大樓的工人。

我非常熟悉那些臉孔，他們沒有感情、自我，並且無視於我的存在。那樣的臉看著我，毫不在乎我的死活。

在香港時，我常常看到類似的臉，這令我抓狂。

當我跑過老人身旁，他看我一眼，說了一個我不是很清楚的字，像是生子（breed）。我覺得很悲哀，生子是不可能的。再等一百年吧！

香港，對我們而言，是一個特別的地方。

如果我們從高處往下看中環閃閃發亮的心形，我們會以為自己是偉大英雄故事的繼承人。

當我們看著燈火、錢與那群住在中國南海小塊英國屬地的人們時，我們會有一種特別的感覺，那種感覺是我們住在倫敦、利物浦或愛丁堡時不會有的。

然而，我們有什麼權利擁有那種特別的感覺？我們沒有建設香港，而且大多數在這裡的英國人，是在香港回歸中國前不久才來的。可是，當我望著那個閃閃發亮的城市，我的感覺就是不一樣。

香港有一群特別的外國人，他們穿亞曼尼套裝、在中環工作，並在可預見的未來會有輝煌的七位數存款。我不是他們，而且差距很遠。

我在雙福語言學校教書，教那些有錢女士如何用標準腔調對圓眼珠的侍者說：「服務生，有隻蒼蠅在我的魚翅羹裡，太過份了。這麵是冷的。經理在哪裡？收美國運通卡嗎？」我們教導人們如何交替使用一些與服務有關的常用詞語，因為在我剛到香港的一九九六年，有許多年輕白人在當服務生。

同事當中，我是個異類。雙福語言學校的每一位同事，都有一個待在香港的理由，不是那種對香港有特別感情的理由。雙福語言學校的座右銘是「輕輕鬆鬆，兩年保證開口說英文」。

同事中有來自布蘭登的佛教徒，以及來自威姆斯洛、一有空就打詠春拳的年輕人，還有來自倫敦的華裔英國人，想在接手家族事業之前認識他的根源。

在銀行工作的外國人、中環的律師、在大嶼山興建機場的工人，都有一個好理由待在香港。

除了我以外。

我之所以來香港，只是因為我在倫敦待夠了。我在北倫敦城中區一所學校教了五年書，那是間挺有名的學校—黛安娜男子綜合中學，聽過吧？曾有一位教木工的老師將他自己的頭夾在工作桌上的鉗子裡，媒體的報導篇幅還挺大的。

再說，那裡的家長比學生嚇人，開家長會時，你會看到一群臉帶惡相、身上刺青、好鬥的家長們質問問題。

我跟你說喔，那還只是母親。

我實在是受夠了，無法再忍受學生交上來的論文起頭是「有人認為莫西多有點兒同性戀」，或當我們正在彩排羅密歐與茱麗葉的窗檯劇時，有個坐後排的學生用保險套吹氣球，惹來全班大笑。我無法再忍受我們教這些小孩神奇美妙的英國語言，而他們卻滿口「幹、幹、幹」，甚至還加上過去式與進行式，習慣的就像漢堡裡的番茄醬。

後來我得知英國公民可以得到香港的工作許可證，但就一年，不可延長。

就在這時，我碰到有一位整年都穿海灘裝，連冬天也不例外的學生父親，他的手臂上刺著「大英帝國」幾個字—可惜拼錯了。

可愛的耶穌！

所以，我離開了倫敦。事情一旦決定，一切就簡單了。接下來就是十二小時的飛行，四部電影，三餐，兩次腿抽筋，以及降落舊啟德機場時的膽戰心驚—當飛機穿過摩天大樓時，我甚至可以清楚地看到曬衣繩。我會留下來，是因為我對香港有特別的感情。

香港距「大英帝國」很遙遠，它是另一個世界，正是我想要的生活。但也是因為那樣一個不同的世界，讓我更愛自己的國家。

香港讓我覺得我的國家完成了一件重要、特別、神奇美好的事。我看著滿滿的夜燈，感覺很光榮。

我不像那個華裔英國人為了尋根而來，也不像那位求經者，更不是為了李小龍。我沒有任何目的。

然後，我認識了蘿絲。

她，就是我的理由。

那位中國人不是公園裡唯一的人，遠遠的另一角落，有群週六狂歡，還沒回家的青少年。

那種青少年是人類的陰影。我接受不同層次的社會，但那種嘰嘰喳喳的少年人，會讓你覺得人類的未來不太樂觀。

他們看見我跑得累呼呼，臉上不由自主地露出嘲笑的表情。有什麼好笑？

我很快就知道答案。

他們在笑一個滿面通紅、氣喘如牛、一身嶄新運動裝的胖子，一個週六晚上沒地方去的人，每個晚上早早回家，非常普通的一個人。

或許，我對自己太苛刻了。

「看那個乳酪。」有人說。

乳酪？什麼意思，指我嗎？新用詞？

「他胖的像兩個女人在床單下扭來扭去。」

「他胖的得用人造衛星拍護照上的照片。」

「他胖的連亞哈船長（Captain Ahab）都會寫愛慕信給他。」

身為英文老師，我很感動他們知道《白鯨記》裡的人物。他們不是壞孩子，雖然嘲笑

我，我還是給他們一個友善的微笑。我要讓他們知道，我這個乳酪有良好的運動精神，而且懂得慢跑。可是，他們互相對看，嬉笑不停。這種嬉笑可以與不懂事的少年人劃上等號。

我經過他們時故意把頭轉開。我坐到溼板凳上的松鼠旁，吃起口袋裡的巧克力。

我就這樣坐在板凳上，一邊推轉套在中指上的戒指，覺得更寂寞。

我是在天星小輪上認識她的。那是艘白綠相間、老舊、有兩層船艙的渡輪，專門往返香港與九龍。

其實認真說來，我們並非相遇在那渡輪上。我們沒有互打招呼，也沒刻意要再碰面。我是一個不會幫別人拾起東西的人，即使是對蘿絲。第一次見到她是在渡輪上，那時她抱著一個大紙箱，正在投幣過十字轉門。

她與一群當地人擠在一起等船。其中有要去中環上班的精明廣東生意人，有穿迷你窄裙、不斷講手機、甩著一頭長髮的年輕辦公室小姐，有愛吐痰的成衣販，有帶著擁有一頭貓王捲髮的胖小孩的年輕媽媽，有要去上工的菲傭，還有不怕熱的鬼佬觀光客。

她有一頭類似中國人的黑髮，皮膚很白，像剛從雨天連綿的地方來。她穿著剪裁簡單的兩件式套裝，扛著一個大箱子，像是上環與中環西區的攤販。雖然我知道她不是。

渡輪靠岸，人人往前衝，標準的廣東景象。我看著她抱一個大箱子，跟著往前擠，一張年輕嚴肅的臉。

她的兩眼距離太近，嘴太小，我心裡想著，這個人笑起來或許好看點。但是錯了。我在她因為撞到別人而道歉陪笑時，發現她有一口暴牙，怎麼說都不好看。然而，那個露牙的笑容卻深深地牽引我的心，比外在的美貌更美好。

座位很快就沒了，我好不容易才找到一個。船搖搖晃晃地駛出港口。她站在我身旁，抓緊那個大箱子，臉上露出自信的微笑。船上黑鴉鴉，擠得滿滿。

從九龍到香港只有一公里，費時七分鐘，但是這艘全世界最短的渡輪必須閃躲一堆垃圾、桶子以及其他遊輪。如果你抱著一個大箱子，感覺不會只有七分鐘。

我站起來，問她願不願意坐下。

她瞪著我。那時我還很苗條，雖然不若布萊德．彼特英俊，但也不至於像個象人。我不認為她會昏倒過去，不論是出於欣喜還是厭惡。然而，她至少該說句什麼。但她只是看著我。

我原本猜測她是英國或美國人，可是我再仔細看，她的高顴骨、黑頭髮，以及那樣的眼形，我想她可能來自地中海區。

「妳說英文嗎？」她點頭。

「妳要坐下來嗎？」

「謝謝，只有一小段行程。」

「那是一個很大的箱子。」

「我帶過比這個更大的。」

笑容有些勉強。她大概在想，這個奇怪的人是誰？這個穿著印有一九五八年辛納屈參加EMI公關活動照片的T恤，並搭配一條破舊牛仔褲，這個身材比例較像布萊德・彼特而不像象人的男孩是誰？

箱子裡裝滿貼著紅色標籤的公文夾。她是律師。我泛起一絲心酸，她一定只與穿西裝打領帶的人打交道，而我，只有泛白的圓領襯衫，折合英鎊不過五位數字出頭的收入。她不會想理我。

「你不是真心要讓位給女人吧？」她說，「不是在這時代。」

「我想不論在什麼地方，讓位給女人都不是真心的。」我說，「不是在這時代。」

「還是謝謝你。」

「不客氣。」

我正要坐回原位時，一個穿尼龍上衣、夾張賽馬報紙、上了年紀的中國男人將我推開，毫不客氣地一屁股坐進我原有的位子。他大聲吐痰，還吐在我的Timberland靴子中間。我愣住了，呆呆看著他翻開報紙，研究他的賽馬經。

「你看吧，」她笑，「如果佔到一個位子，最好別站起來。」

一路上，她不時露出詭異的笑容。中國銀行、匯豐銀行、文華酒店那些擁有銀色玻璃窗的高樓大廈在我們後方，之後，就是維多利亞公園。

我忽然擔心自己沒機會再見到她。

「可以一起喝杯咖啡嗎？」我滿臉通紅。我真氣自己。我曉得女人不會答應你的要求，除非你是紅著臉問她。

「咖啡？」

「是的，義式濃縮咖啡，卡布奇諾，拿鐵。就是咖啡呀。」

「挺吸引人，」她說，「讓位已經很好了。咖啡？不曉得耶。你賭定我會答應，不過，我必須先把文件送到辦公室。」

渡輪靠近碼頭，夾板下放，眾人蠢蠢欲動。

「我不是想釣妳。」我說。

「不是嗎？」她表情嚴肅，不太確定是不是在開玩笑，「那可糟透了。」

就這樣，她帶著一箱公文夾，消失在一群廣東人中。

在那之後幾天，我特意在渡輪上尋找她，期望能再見到她因箱子撞到別人的賠罪笑容，期望我是那個幸運的人。可是，我再也沒有遇見過她。

倒不是我有什麼新的犀利話題要與她聊。

我只是想念她的笑容。

一個星期五晚上，文華酒店的頂樓酒廊如往常般喧鬧擁擠。

照理說，以我在雙福語言學校的薪水，是無法去那裡喝酒的。但我偶爾會想坐在那古老酒店的頂樓，喝冰凍的青島啤酒，欣賞夕陽。

但是今晚，當我正在享受我的啤酒時，一位來自家鄉的呆子破壞了美好的氣氛。

「看著吧，中國解放軍一進中環，所有的人都會衝向機場。」他說，「那些畜牲只會得到他們該得的。香港在我們來之前是個漁村，我們走後也會是個漁村。」

他說話的口氣刺穿了我的心。這個出身私立學校，擁有驕傲家世的呆子，自信滿滿地說出不堪入耳的話。他的口氣使我想起，醜陋的刺青並不是我唯一不喜歡的東西。

「將這塊地留給那些下層階級，看著他們扼殺這隻會下金蛋的鵝，吃光所有的東西吧。」

我轉頭看他。

他和一個女人一起坐在靠窗的桌子。他之所以說那些話，可能是想搏取好感吧。女人背對著我，他則穿著細條紋西裝，年輕壯碩，一頭金髮，看起來就是個由英格蘭教會、牛排及橄欖球養大的孩子。純正的英國牛肉，加上狂牛病菌。

他沒有閉嘴的意思。年輕的酒保在幫我倒酒時看我一眼，同時露出悲慘的笑容，只差沒搖頭而已。就是那種寬容，把我逼到角落。

太過份了。我放下酒杯，那個男人不只侮辱了香港居民，也糟蹋了我對香港夜景特有的感情。酒保暗示我不要理他。

太晚了。

「喂！」

他抬頭看我，女的也是。竟然是她。她閃閃發亮。

她真的是在發亮。中國南方工廠放出的化學毒氣，正透過夕陽蒸發出殘餘的科技色彩，映照她的臉孔。她在發亮。

金髮男人，黑髮女人，早期辦公室羅曼史的典型佳偶。至少，男人都是這麼想的。

「什麼事？」他粗魯地說。

「看看你自己。公司給你公寓住，還給你菲傭，你以為你是誰，你是誰呀！萊佛士爵士？塞斯爾．羅德斯？史考特，南極洲探險家？」

「對不起，你有精神病嗎？」他說。不太確定是該笑我，還是給我一拳。他站起來，很壯的傢伙，一付想打架的樣子。看起來，他是一個有胸毛的男人。

「冷靜點，賈思。」她拉他手臂。

如果你以為他沒有下巴，那可錯了。他們這種人都有下巴。高傲的鼻子，尖尖的下巴，將嘴擠成細細、傲慢、刻薄的一條線。

老實說，他是一個沒嘴唇的人。

「我們只不過是住在這裡的客人。」我的聲音不由自主地顫抖。「大不列顛不再統治海域，我們應該留意個人說話的內容與口氣。」

他張開細扁的嘴巴。

「你會喜歡我教你如何說話，你這傢伙。」

「為什麼不試試看？」

「會的。」

「或許你應該。」

「你們都給我閉嘴。你們將來都會回家去的。」她說。

回家？我從來沒想過。我看著她，心裡想著家。

我看著賈思。我們互相對看一會兒，知道彼此不會笨到在這裡扭打。或許應該這樣說，他不想揍我。她將他推回座位，露出詭異的笑容。

「你說得沒錯，我們應該注意個人的行為和態度，」她伸出手，「我是蘿絲。」

「艾飛．巴德。」我也伸出手。

我也同賈思握手。我們三個一起坐下喝酒，我避免看賈思，我告訴他們我在雙福語言學校教書。她聊起他們的律師事務所。賈思一直看錶，誇張地暗示我們的談話內容很無趣。

她對我笑，那笑容、牙齒、粉紅牙齦，毫不費力就佔據我的心。我深深感受到她的魔力。

那就是我的家。

我們就這樣開始。從未見過的陌生人，我第一眼就認定，是她。

蘿絲大力拍打桌面。

「喔，我記得你。」她大笑。

照常理看，我們不配。她所有的朋友都認為，她的條件比我好太多。這倒是實話。蘿絲是香港的時髦小姐，我則是九龍的閒蕩份子。

她有一份前景看好的事業，我只有一份工作。她與有身份地位的人在文華酒店吃晚餐，我與一群阿貓阿狗在南鬼番喝青島啤酒。她坐頭等艙到香港，我擠靠走道的經濟艙。

才二十五歲，蘿絲已經是個成功的女性。我，大她七歲，卻只能在濕氣與青島啤酒中一天天老去，仍在等待人生的起點。

蘿絲住在一間小而精緻的公寓，那幢公寓位於上半山的干德道，從窗戶望出去可以看到維多利亞公園，有二十四小時警衛，那裡是外國人的天堂。我則與同事在西營盤分租一層公寓，各有一個房間。

我的公寓位於混雜的小巷，沒有防火梯，牆壁薄的可以聽見樓下電視聲音。我們所謂的街道防衛，指的是睡眼惺忪的警察偶爾來轉一圈。

蘿絲不像我是漂泊到香港的，她是倫敦總公司特派香港的律師，想在英國統治的最後一年，賺取最多的利益。

當我在斤斤計較於房租的同時，不知有多少財富在中環的辦公室裡成交。香港對律師的需求大到不知天天從啟德機場進來多少。

蘿絲是其中之一。

「在倫敦，我不過是一個替老傢伙倒茶，被他們擰屁股的律師。在這裡，我很重要。」那天賈思與我決定不打架，坐下來一起喝酒時，她這樣說。

「蘿絲，妳在做什麼工作？」

「財務。替一些公司做讓中國公司認股，籌取資金，股票上市的工作。」她說。

「哇！高明。」

我完全不懂她的工作，但她說起來頭頭是道。她比我成熟多了。她的大多數同事，那些每晚在文華酒店頂樓大聲喧嘩喝酒的男男女女，他們根本不在乎香港最美麗的景色—港口的夕陽。

他們看到街名灣景路，就大聲抱怨不知自己還要在香港留多久，好像香港是為了他們而存在的。香港人有的奇怪想法，他們都有，已經多到數不清的地步。

當地出產的廁所用紙叫「我的芬妮」。至於銅鑼灣的百貨公司，不用說，是日本人開的，裡面有賣一種叫「巧克力黑鬼」的巧克力糖。最普遍的防凍劑則叫「我的尿尿」。

我記得第一次看到「我的尿尿」的廣告時，忍不住大笑。我不是說，我沒有嘲笑過香港人的無知，而是說，那群細扁嘴巴的人從未停止過嘲笑香港人。在這裡住過一陣，你就會忘記「我的芬妮」這種事，而去享受夕陽與夜景。我不懂他們為什麼不能欣賞香港好的一面。

蘿絲與他們不一樣。

我不是說她是手提公事包的泰麗莎修女。廣東人是一個好鬥的民族，你難免會被兇惡的計程車司機、粗魯的服務生或無理的乞丐臭罵。蘿絲與其他外國人一樣，也會對這種事感到無奈與喪氣，但她一會兒就忘記了。

她愛香港以及香港人，以她的膚色、收入、工作來看，這是件不尋常的事。蘿絲與其他人的想法不同，她認為，香港應該回歸中國。

「喔！艾飛，香港或許是由英國開發而成長的，但她有顆中國心。」在那個特別的夜晚，我不想結束的夜晚，她那樣說。

蘿絲一直想找尋香港的真面目。她和我不一樣。我只要在蘭桂坊擁抱一瓶青島啤酒，只要看著夜景，知道自己對香港有份特別的感覺就夠了。我不在意我看到的香港面貌是真是假。

蘿絲教我超越夜景去思考，而且不只是對人，也對其他更多的事物。

她帶我去中環後方的廟宇。廟裡不是金色就是紅色，空氣中充滿老婆婆燒紙錢的香味，煙霧迷濛，只看得到祭壇上兩隻鍍金的鹿。

「可求長命百歲。」她說。我現在想起當時的情景，淚水幾乎奪眶而出。

那時候，我們以為彼此會永遠在一起。她帶我去我自己不會去的地方，會到我住處附近、全都是本地人的餐廳飲茶，也會在我們穿梭於掛滿電視天線與曬衣繩、擺滿盆栽的陰暗小巷時拉我的手。

我們會在她下班後一起搭渡輪到九龍看電影。香港的電影院裡經常充斥著手機聲響，奇怪的是，人人都對他人在電影放映時講手機感到憤怒。然而蘿絲對這類情況只會淡然一笑，繼續看她的電影。

「這就是真正的香港。想尋找香港的真面目，就是這樣。」她揮著手，和此起彼落的手機聲合奏交響樂。

但是她也愛做些英國人喜歡做的事。她周六必須上半天班，所以我們經常在她周六中午下班後到半島酒店喝下午茶，一邊欣賞中環街景，一邊享受伯爵茶、塗果醬的小圓餅以及拇指三明治。有時候，我們會去看賈思和他那群朋友玩橄欖球或板球。

我們之所以從事這些典型的英國活動，並不是因為想家。事實上，我們在英國時，根本沒做過這些事。

橄欖球、板球、切邊的小三明治，誰聽過？我與蘿絲沒有。蘿絲與她那些同事的口音不同，她來自普通人家，如今的一切全是自己努力掙來的。

「妳從什麼時候開始說話不帶艾塞克斯的口音，大學嗎？」我問她。

「利物浦車站。」她回答。

在亞洲，我們找到真正的香港，以及從未見過的英國。

蘿絲深愛這一切。

而我深愛著她。

一開始，我花了好多時間才鼓起勇氣打電話給她。距離我第一次在文華酒店得到她的名片，我足足等了七天才打電話給她。她對我來說，太重要了，我簡直不敢想像沒有她的日子。

她漂亮、聰明、和氣、好奇，而且勇敢。她是我所認識的人當中，膽量最大的。她的工作很出色，但不會以那份工作來衡量所有的事情。我因為這些優點而愛她。最重要的是，她毫無條件地站在我這邊。愛上一個與你站在同一邊的人，一點也不困難。

有一次，一群人又聚在文華頂樓，可能是喝多了青島啤酒，賈思說了句他生平最有意思的話。

「如果蘿絲能與神碰面，她一定會問：神啊，您為什麼對艾飛如此不好？」

他故意以尖銳的聲音說，惹得大家發笑，我也跟著笑，假裝不在意那個蠢貨。但私底下的我心跳加快，我知道他的話一點也沒錯。

但是蘿絲不同，她站在我這邊。我的父母與祖父母或許是「被迫」與我站在同一邊，蘿絲則完全是出於自願。她在乎我，那些在公園遊蕩的小鬼可能會覺得可笑，像她那樣的女人會在乎我這種人。然而，她真的在乎我，真的。

因為愛，她把我還給我自己。

在倫敦時，我有個夢想，我想成為作家，但是一直沒有勇氣試。蘿絲使我相信，如果有足夠的時間，我可以成為作家。有那麼一天，我會成為一個作家。她看到的，不只是我這個人，她還看到我的潛力。因為愛，她使我相信，有一天，我的夢想會實現。

這也是為什麼我現在會如此痛苦。

這也是為什麼我現在必須強迫自己活過每一天。

因為，不久以前，一切是那麼美好。

那個中國老人，剛好結束慢動作的舞蹈。

當我第二次經過時—或許該說我是在拖行，而不是慢跑。他看著我，好像我們彼此認識，已經見過幾次面。

他再一次對我說，這回我可聽懂了，不是生子，「吸氣。」他說。

「什麼？」我喘著氣問他。

「呼吸不順暢。」

「誰啊？」

「誰？你呀！呼吸方法不對，太淺了，不好，不吸氣就沒有生命。」他哼著說。

我看著他，不吸氣就沒有生命，他以為他是尤達[1]。

「那是什麼說法？古老的中國諺語嗎？」我不客氣地問他。

「不是啦，不是什麼中國諺語，是普通常識啊。」他轉頭不理我。

當我跑離公園時，我試著照他說的方式，深深吸一口氣，讓空氣充滿肺，然後慢慢吐出。我如此反覆幾次，緩慢而有規律。

踏著去年的落葉，我想要好好呼吸。

一點也不容易。

看出來了嗎？她就是我的理由。

注釋

1 Yoda，德高望重的絕地大師，因其過人的智慧和洞察力而受人尊崇。

2

當作家是我從小的願望，我一直到成年時才死心。那是我堅持最久的一個願望。

我的父親是一家全國性報紙的體育記者。他寫得內容包括他熟悉的賽馬、足球、拳擊，也寫奧林匹克的田徑賽與溫布敦網球賽，以及任何報社要求他寫得主題。在他工作生涯的晚期，他甚至寫有關現代摔角的報導，就是那種每個選手身上塗滿發亮的膠液、看起來像在服用類固醇的運動。其實他們全該先去上演技課，太假了。

我的父親沒有名氣，大多數他寫得報導旁並沒有他的名字和照片。但是我崇拜他。許多朋友的父親每天得按時上下班，只有我的父親可以四處旅行，訪問那些被崇拜的運動員。雖然母親和我有時會一整個星期見不到他，但我很為他這種沒有固定上班時間的職業感到驕傲。

我從小就體認到，新聞記者的工作與到貝尼東渡兩星期假是不一樣的。我很清楚限時交稿的暴政、主編的獨裁，也知道當日報紙很快會變成明天貓便盆的墊紙。但父親對他的工作得心應手。

父親並不熱衷追新聞，他不會坐在溫布敦球場的記者室，或打電話到伯明罕的拳擊賽會場追問比賽結果。報社提供版面讓他寫某個運動員背後的故事或統記數字，例如哪個出

色的足球員因為膝蓋受傷而結束運動生涯、哪個有奧運參賽資格的運動員乳房生腫瘤等等。他的文章令人滿意，短短的一千二百字會讓你動容。

他不是一個成功的體育記者，因為他並不醉心於運動新聞。我常想，如果他不跑體育線，他也許會是一個比較快樂的記者。

但無論如何，他是我心目中的英雄。多年以來，我一直想擁有同樣的工作。

後來，他出了一本書。你大概聽過或讀過。因為那本書《有橘子的聖誕節—童年回憶》，到現在還是暢銷書。在這之後，我的作家夢就顯得有些可笑，我怎麼能跟他比呢？當他還是普通的體育記者時，他可以激勵我，但是當他成為一個成功的作家，他就會讓我有威脅感。

書出版時，我正在教師訓練學校就讀，我冷眼旁觀該書躍居暢銷排行榜。昨天他還是個記者，只能逗留在足球訓練營，巴巴地想從那些二十幾歲、週薪三萬的小伙子口中挖點獨家新聞。今天就搖身變成一個暢銷作家，披掛六位數字版權收入的外衣，定期出席座談會，走到餐廳會被旁人認出來的人。

我明白這一切得來不易，他花了許多年寫書。雖然整個過程像刻石頭般辛苦，但成功依舊來得太快。父親從默默無聞的記者，一夜之間，成為人人尊重的作家。他替書店寫書評，開簽名會，他的簽名開始值錢，就像那些二十幾歲的足球明星的簽名一樣。

《有橘子的聖誕節》是本好書，我非常喜歡。雖然這本書使我未成形的作家夢蒙上陰影，我卻一點兒也不妒忌。它的確是本好書。

書裡寫得是父親在倫敦東邊貧民區的童年故事，寫得是父親與兄弟姐妹因為在聖誕節分到一只橘子而興奮不已的故事。父親的家，貧窮但快樂。

書裡描寫在納粹德軍的隆隆轟炸聲中，一群滿臉汙黑的小孩如何在炸痕累累的街道上玩古老的獵鼠遊戲，充滿死亡、疾病和食物配給。這本書之所以能如此暢銷，是因為它的結局如同一杯熱巧克力，給人安慰。這本書真正要表達的，是現在已經失落的、家庭成員間無止盡的愛。

諷刺的是，這本書卻像希特勒的電導炸彈，打亂了我叔叔、伯伯以及姑姑的平靜生活。經過多年的努力，父親的兄弟姐妹們已各自擁有不錯的生活。然而現在，《有橘子的聖誕節》卻將他們半世紀前的貧窮暴露在大眾眼前。

父親的長姐珍妮，對父親將她趁停電時與美國大兵亂搞，還被自己父親抓到的故事寫進書裡，非常不高興。雖然在父親筆下，這是齣可愛、俏皮的鬧劇，但珍妮可不這麼想，這段往事在她工作的地方造成轟動，這可不是身為主管的她樂意見到的。

大父親四歲的雷格伯父也氣得跳腳。多年來，雷格是洪縣一家銀行的主管。他認為父親將他在一次德軍空襲中，慌張地把外褲掛在脖子上，全身發抖地跑進安德森防空洞的故事寫進書裡，簡直破壞他身為銀行主管的形象。

再說彼得叔父。書中的他是個專做黑市生意的青少年，很有本事讓那些沒有餘錢、丈夫在前線打仗的年輕太太，掏錢出來買他的東西。彼得叔父─現在是彼得神父─現在得花點時間向教友告白。

珍妮姑姑安慰將去諾曼第的美國軍人，雷格伯父在空襲時嚇得尿濕褲子，彼得叔父用他的貞操換得尼龍褲襪交易，這些都是讀者喜愛的故事。因為這本書，父親得到大多數人的喜愛，除了他的手足和一起長大的鄰居。他們已經拒絕與他往來。

如果你在國外待了一陣子，你會非常敏感於時間對一個地方的改變。我離家三年，從一九九六年春到一九九八年夏天。不是很久，但一切已經變得不太一樣。當然，這跟蘿絲有關。我走之前，不知道她的存在，現在我回來了，卻不知如何回到沒有她的日子。

不論做什麼，我總覺得不太對勁。

先從新設的尤斯登難民營說起。我從父親的賓士車裡可以看到他們，而他們也可以看到我。紅色的賓士車原本就是要引人注意。雖然說，這些難民剛剛才從饑餓與謀殺中逃出。

尤斯登街原來沒有難民營。過去那裡只有一些奇怪的醉漢出沒，從沒見過巴爾幹半島人。現在那些削瘦的大人小孩，包圍塞在國王十字架車站前的車子，噴水做勢要幫你清洗擋風玻璃。如果你要求他們離去，他們會用手指向嘴巴，像在做不雅的動作，其實，他們只是想表達他們的饑餓。

對我而言，是新的景象。

不只是尤斯登的難民營。

電台頻道二，泰利沃罔正在播放REM的歌。沒有人再談起黛安娜王妃。最令人吃驚的是，父親開始上健身房。

這些變化讓我難以置信。我以為泰利沃罔只放街頭音樂，當然，也許趁你我轉身時，REM會突然變成MOR也不一定。我以為死去的黛安娜與活著時一樣引人注意。我以為我的老頭，會是最後一個擔心腰圍肥肉的人。

一些老地方看起來雖然沒變，但我處處可以看到不同。

麥可史戴普開始唱起輕音樂。黛安娜已經成為歷史的一部份。父親大力宣傳心臟血管健身運動的好處。

有時，我很難相信這是同一個國家。

我住在父母家。一個人到三十四歲還住父母家，並不是件光榮的事。幸好這不是我童年住過的房子，所以雖是與父母住在一起，並沒有太多兒時回憶。那些回憶，只存在於母親將洗過燙好的睡衣遞給我的時刻。

這只是過渡期，等我找到工作，可以維持開銷時，我會找間工作處所附近的公寓，搬出去住。我要把我的公寓佈置成類似蘿絲與我在香港的住處。我們曾經有過一個舒服的住所，那時，我很快樂。

我知道日子還是要過下去。我必須將過去蘿絲與我的日子置於腦後。這些，我再清楚不過。

但是，如果你相信一見鍾情，相信這世界上只存在一個你真正愛的人—我完全相信，那麼，明天會更好的說法，根本毫無意義。

因為我曾經擁有過。

他們現在住的房子很大。典型的愛斯連登白色高建築。是那種進屋後會走不到盡頭的房子，還有游泳池，它跟以前的房子非常不一樣。

當父親還是體育記者時，我們住在一個上流階級不會去的小城，那是幢維多利亞式的簡陋平房。《有橘子的聖誕節》改變了一切。

變得富裕也不過是最近的事。

父親正在寫《有橘子的聖誕節》的續集，描述他的家庭在二次大戰後，如何在貧苦中尋找快樂。那會是一本讓人覺得窩心的書。我不曉得他的進展如何。他似乎花許多時間在健身房裡。

我知道父母擔心我。這也是為什麼我得儘快讓他們安心，搬離他們漂亮的家。

父母希望我過得好。他們總說我無法忘記蘿絲，說我應該要好好生活下去。

我非常愛我的父母，但有時他們令我抓狂。當我告訴他們我不急著跳離那種喪志的生活時，他們非常生氣。父親會氣得大力摔門：「朋友，隨便你。」母親則會流淚：「喔，艾飛。」

他們認為我瘋了，因為我無法走出蘿絲的陰影。

我很想問他們……如果，我不是瘋子？

如果，這是應該有的感覺？

前門站了一個陌生人。

這個人頭戴像《絕地大反攻》中帝國騎兵戴的尖頭鋼盔與黑色護鏡，身穿貼身黃色騎腳踏車用上衣和黑色萊卡褲子。很有未來感的一個人。他耳上掛著新力隨身聽，拉著腳踏車走上花園小徑，當他彎腰看信箱時，我可以看到他大腿結實的肌肉。

看起來像一隻超級結實的昆蟲。

「爸爸？」

「艾飛，我又忘了帶鑰匙，幫我推腳踏車吧！」他說。

當他脫下安全帽、拿下隨身聽時，我從隱約可聽見的樂聲中立刻認出是史提夫·汪達（Stevie Wonder）的情歌。

一身搞怪、昆蟲似的裝扮，你會以為這個人喜歡現代流行音樂。事實上，他還是愛聽那些老歌，特別是Tamla Motown、Four Tops、Temptations等等，這些來自年輕美國的聲音，可以讓我父親回到過往的歲月。

至於我，則受到祖父的影響，比較偏愛辛納屈的歌。祖父已經去世多年。在我很小的時候，他會讓我坐在他的大腿上，一起聽法蘭克·辛納屈的歌。祖父的房子是《有橘子的聖誕節》的背景，屋裡總是散發著老賀本雪茄以及古風刮鬍水的味道。直到許多年以後，我才明白那時聽得都是有關女人，有關愛上與失去女人的歌。

我只是想跟祖父在一起。

有時，祖父和我會一起看電視播放的辛納屈早期電影，例如《魂斷藍橋》與《魂斷情天》。那些心碎的硬漢，正是音樂最恰當的詮釋。

這時我會喊：「爺爺，看辛納屈。」

「對耶，是辛納屈。」他會這麼說。用他那隻有刺青的手臂環抱我，一起專心地看黑白螢光幕。

可以說，我是在辛納屈的歌聲中長大的。但現在聽到他的歌，並不會使我夢想拉斯維加斯、棕梠泉或紐約，也不會讓我想起鼠黨（Rat Pack）、艾娃加德納（Ava Gardner）、小山姆，這些所有不該忘記的人事物。

辛納屈的歌聲讓我想起祖父位於倫敦東區的國民住宅，以及坐在他腿上的日子。倫敦東區又稱為死巷（cul-de-sac），因為它像一把五弦琴。聽辛納屈的歌讓我想起老賀本雪茄和古風刮鬍水的味道，讓我想起那段沉浸在單純、無條件的愛的日子，那個我以為久不結束的日子。

父親一直想說服我聽Motown的音樂。當然我也喜愛那種oob-baby-baby的調調，有人不喜歡嗎?直到我長大成人，我才意識到父親與祖父喜愛的音樂差距這麼大。

父親的音樂是年輕。祖父的音樂則是感性。

我開門幫父親把腳踏車牽進來。我望著這輛擁有低手把、小小座位的腳踏車。

「新車嗎？」

「我想騎車到健身房，這樣對我比較好，開車沒甚麼意義，我的心臟需要多跳動。」

我搖頭笑笑，驚訝於父親的改變。我記憶中的父親是一個典型的新聞記者，不正常的飲食與酒精使他發胖。現在，他已經五十好幾，卻突然變成尚克勞．范達美。

「你喜歡這些健身活動？」

「艾飛，說真的，哪天你也應該一起來。你應該開始注意你的身材，你越來越胖了。」

有時，我真覺得父親有妥瑞症候群[1]。

我不好意思告訴他尚克勞．范達美在公園小跑步的悲慘情形。我也不想同他爭辯。可想而知，我已經老了，認為與父母爭辯毫無必要。我幫他牽車進來時瞥見鏡子裡的我，心想：有什麼關係呢？我又不在外面招搖。

父親和我走進客廳，祖母正坐在她最喜愛的椅子上，《世界新聞》則安靜地躺在她膝蓋上。顯然她剛剛在讀「表演跳舞的妓女偷了我的電視螺栓」這則新聞。

「哈囉，媽媽，又在讀那些社會新聞了？」父親親一下她的額頭。

「哈囉，奶奶。」我也親一下她的額頭。我們家人之間經常互相親吻。奶奶的皮膚又乾又軟，像在日光下曝曬許久的紙。她的藍色眼睛轉向我搖搖頭。

我走過去握住她的手，我愛我的奶奶。

「沒中，又沒中。艾飛，親愛的。」

她在對昨晚的開獎號碼。這是我和奶奶每星期的例行公事，奶奶會在星期天時過來吃午餐並抱怨沒中六合彩，而我則負責安慰。

「奶奶，沒中，沒關係。」

「艾飛，星期一上班吧。」她笑著說。雖然我和她兩人明天都不用工作，她還是會這麼說。她撕碎彩券，這個動作似乎耗盡她的體力，她又打起瞌睡。

透過落地窗，我可以看見母親正在花園裡清掃落葉。雖然母親有時看起來與父親用書賺來的這棟大房子不甚相配，但她非常喜愛這個花園。

她抬頭對我笑笑，清理花園的工作讓她兩頰發紅，和我在公園慢跑時氣喘如牛的情形很像。我對她豎起大拇指，她則回以微笑。我知道她很欣慰，因為我出門去呼吸她所謂的新鮮空氣。

前門被大力撞開，一個年輕女孩笑著站在那兒。她看起來像第二個卡麥蓉狄亞，擁有金髮、藍眼以及銅色皮膚，莉娜是捷克女孩，是我們請來的幫傭。她很聰明，只有在隨著音樂扭動身體時會看來有點幼稚。

莉娜並不笨，只是年輕。老實說，我覺得她對我有意思。我得在最不傷害她的情況下告訴她，我不想再交女朋友。毫無疑問，她非常漂亮，有次甚至有個送報童看得忘神，將車撞上電線桿，弄得彩色廣告夾頁漫天飛舞。但奇怪的是，我對她不感興趣。或許，我對這些太熟悉了。

開門的聲音驚醒奶奶，她反射性地看著莉娜，誤以為莉娜是某個遠親。

「抱歉，我來晚了。星期天的地鐵很糟糕。午餐很快就好。」莉娜的英文毫無口音。

「沒有關—係—」奶奶說得又慢又大聲。她一定以為莉娜耳聾、愚笨或者根本不懂英文。奶奶又指著我說：「他—不—餓。」

「真可愛，我馬上準備午餐。」莉娜笑笑說。莉娜會說五種語言，在倫敦大學修管理碩士。

「我來幫妳。」父親說。

「那倒不用。」

「可是我想幫妳。」

他們進去廚房。奶奶和我看電視，內容是兩人互相扭打，因為其中一人發現他的女朋友竟然是個男人。我從來沒看過類似的節目。連這些胡說八道的東西也算新鮮事。

我可以聽見他們兩人在廚房收拾碗盤時傳出的笑聲。

我從來沒有見過父親幫忙做家事。

這也是新鮮事。

注釋

1 Tourette's syndrome，是由於運動神經異常，引起的不自制多發性抽搐、聳肩動作，以及無緣無故口出穢語等。

3

回到倫敦後，我成天在中國城裡漫無目的地閒逛。每天，我坐著地鐵到西區這塊街名同時標有英文和中文的區域，然後在那裡閒盪。

有三條街道可以進中國城：西邊的沃得街，北邊的馬基斯菲特，以及東邊的尼柏街。我會隨意挑一個走進這個喧鬧、繁忙的地方，直到我的感覺被滿足，直到我以為我還在那個遙遠的地方。

轉眼間，我又回到香港。雖然這裡沒有香港獨具的高樓大廈、港口和山峰，但街上有很多景象跟九龍和灣仔一模一樣。

一排板鴨掛在櫥窗裡，擁有一頭長髮的漂亮女孩不停對著色彩亮麗的手機講話，鑲著金牙的老人推著有棕色寶石般眼珠的嬰孩，年輕媽媽帶著穿戴整齊的漂亮小孩，電動玩具店門口聚集一群不太友善、頭髮油亮的青少年，看起來像洪門幫，穿著單調制服的餐廳女侍正用一貫的方式抹掃餐廳前面小塊磨石地，在霧玻璃後面的小廚房則不時冒出煙來，圍著骯髒圍裙的男人忙著搬運裝冷凍魚的魚箱。

中國城是個可以讓我心情稍為開朗的地方。讓我想起在香港的日子，和蘿絲一起度過的日子。

這裡有許多商店、超級市場和餐館，但沒有一個地方可以真正讓我駐足。這裡像義大利式的蘇活區，只是沒有小咖啡店。如果你想來杯卡布奇諾，享受半小時的安靜時光，那你就來錯地方了。那些東西一點都不廣東，但我不在乎。

我會一直走，走到主要大路爵祿街，然後轉進有不少披薩屋、夜總會的西端沃得街，再轉入又暗又窄的萊索街，那裡可以聞到烤鴨和油煙味，有時我會走進小尼柏街，在那兒可以見到一條很大、用紙做的中國龍，就在一家叫少林風的功夫館前面，護守著那些沙袋、墊子和一堆裝滿黑色功夫褲的箱子。最後我會經過有書店、電影院的萃林十字路。有時，我會再轉回尼柏街，在那兒可以買到中文雜誌、中文光碟，任何有關中文的東西。

在唐人街漫逛時，我經常想起一首詩，那是我還在黛安娜王妃男子綜合中學教課時所教得一首吉卜林的詩。

〈曼德勒〉是描述一個外調蘇伊士的退休英國士兵的故事，在滿是銀行的倫敦街頭閒逛，這個退休士兵現在是城市裡的傳訊兵？他靠替賈思的祖先打雜為生嗎？他會想念風吹過椰子樹、堆滿柚木的大象和留在那兒的女人？這個退休士兵是不會寂寞的——他這樣告訴我們，在濛濛細雨中，從雀兒喜到河濱，他曾和五十個女人交往過，但他只記得，晨曦快速地從遙遠的中國越海而來，她躺臥在他身旁。

「那是說，詩在描述他的馬子囉？」班上一位聰明、喜歡搞怪的學生這樣問，引來哄堂大笑。「是否就像人家說的——性旅行的野蠻控訴？」

〈曼德勒〉對這些蒼白瘦小、斜眼露牙、一身湯米（Tommy）打扮的學生來說，沒什麼

意義。老實說，那時我也不覺得有什麼意義。現在，回到倫敦，那首詩卻盤旋在我腦中，揮之不去。我失去了家，失去了妻子。是的，我非常痛苦。

寺廟鐘聲敲起，我會——
站在毛淡棉塔旁，懶懶地望向海洋

我喜歡早早前往唐人街，為了趕在那群背著相機、面無表情、背包從後面綁到前面的遊客之前。那時候的唐人街，卡車還在卸蔬果，老太太還在準備擺攤，男人們還站在街上用廣東話東家長西家短。

那是我最愛的時段，中國人忙著準備一天的開始，也就是這個時段，讓我恍如置身香港。

我都在這裡吃午餐。如果時間還早，我會去爵祿街的新世界飲茶。那是一家生意漸淡的老店，還保留著由女服務生推行的點心車，我坐在金紅裝潢的餐廳裡，想吃什麼就直接從推車上拿，不像現在大多數的飲茶店得從菜單上點。

如果我到得時間較晚，我就會隨便挑一家爵祿街上的小店吃碗湯麵。下午四點，他們不會在意我一個人佔一張桌子。

在唐人街，任何時間都可以吃飯。這是我喜歡廣東人的地方。他們讓你過你愛過的日子，不會設定規矩。他們不在乎。

「不在乎」這個詞有很多解釋。

在我看來，不在乎是被低估了的說法。

自從我到了香港，我就一直是下午茶的忠實擁護者。下午經常是精神狀況最不好的時候，此時我會習慣性地補充糖分與咖啡因。蘿絲也愛喝下午茶。她總說下午茶是最奢侈、最被縱容的一餐，因為那段時間本該用來工作。

蘿斯總有辦法看出別人真正的想法。我以為我只是愛在下午時喝杯茶，吃點塗抹果醬的小餅。然而蘿絲讓我看清，我真正愛的，其實是暫時逃離雙福語言學校。

邦德街上有家華麗的飯店提供下午茶，顧客泰半是觀光客，特地來喝一壺伯爵茶，尋找一份古老英國的感覺。除了我之外。

我把《標準晚報》夾在腋下，當我走進去時，可以聽到十幾種不同的外國語言。服務生看著我，好似我走錯地方了。

「先生喝茶嗎？」「幾位？」

「喝茶。一個人。」

他端來一壺伯爵茶，那壺茶在銀色托盤上，看起來像個結婚蛋糕。托盤上還放有一塊塊小餅，一小盒奶油和紅色果醬，還有一些精緻的三明治。

服務生態度親切，觀光客不吵，小餅溫熱，鮭魚黃瓜三明治也有切邊，伯爵茶是用真正的茶葉煮的，不是用茶包沖泡的。

一切合乎標準。

可是，嚐起來就是不一樣。

走回地鐵站時經過破舊不堪的牛津街。

惱人的音樂從服裝店、光碟店和咖啡店流洩出來。過去這裡有很多可愛的小店，充滿活力與魅力，如今被這些新潮音樂、倒胃口的服飾和青少年所取代，與我格格不入。我老了。牛津街沒變，是我變了。我想快點穿過人群，但是下班人潮已經出現，我走不快。

靠近車站的地方有些年輕外國人背靠著牆站立，像極了無聊的流鶯。他們屬於那種奇怪的外國人，滿臉怒氣，腳踩有鞋跟的馬靴。

那兒站著一個染金色頭髮的亞洲女孩，和一個來自地中海區的男孩，男孩嘴上蓄著像鉛筆心般細小的髭，鬢角則修成兩塊整齊的長方板。

他們兩人手上各有一疊小傳單，一邊用彆腳英文對話，一邊懶懶地散發傳單給路人。他們的存在讓人覺得，隨手丟棄給你的傳單是一件可怕的事。

我拿到一張。

學好英文

@邱吉爾國際語文學校

第一、最好．

每星期一開課
學費低廉
近維京多媒體商品販賣店
協辦簽證、工作證、住宿
保證優良

傳單上有兩圈花邊，外圈是英國國旗，裡圈是萬國旗，有義大利，中國，巴西，和一堆我不認識的國家。

「邱吉爾國際語文學校」字旁有個黑色側面半身像，禿頭，看來像亞佛烈德．希區考克，也或許是溫士登．邱吉爾。那人閃動著兩根手指，可能在叫你滾蛋，也可能是勝利的表示，他的嘴裡含著東西，有點像雪茄，也有點像粗香腸。

畫那張半身像的人的繪圖能力同鴿子的繪圖能力差不多。我非常不喜歡那個新潮的標示@。我不相信一家在牛津街的語文學校會卑鄙到偷用邱吉爾的名義來助陣。這種低級的風氣跟我過去所熟悉的牛津街大異其趣。

但是，我捨不得丟棄傳單。上面的萬國旗、保證提供幫助的仁慈，以及那個開心的驚嘆號，振奮了我的心情。

看起來似乎還有點希望。

不論你在香港的任何地方，離海都不遠。

我們攜手共賞從太平山頂到半島酒店之間的海景。我們經常坐渡輪往來我們分處兩岸的公寓。蘿絲的公司擁有一艘船，取名舢舨。

「舢舨」這個名字讓人聯想起風景名信片上一排排古典雕刻的橘色帆船，或許在我心裡，我真的認為它是那樣一艘木船。

不過舢舨其實是一艘現代化的電動船，亮麗的船身，光漆的鑲木，由一對穿著白色制服的夫妻負責駕駛。即使到了一九九七年後半，乘舢舨出遊仍會讓你幻想香港回歸是不會發生的。什麼事都不會發生，生命永遠如此美好。

舢舨主要是用來招待客戶。平常如果沒有從倫敦、上海或東京前來的重要客戶，員工是可以借用的。

舢舨通常會被一些鬼佬男律師借走，用來邀請國泰航空的空姐們出遊。蘿絲與我的交往已經到了某個程度，不再喜歡與別人同遊，因此常常只有我們兩人和開船的夫婦。

最後一次我和蘿絲乘船出遊時，我們停在一個不知名的小島，有個穿拖鞋的老人在賣冰啤酒和大蝦，令我印象深刻。那個小島有木板做成的防波堤，海灘上有閒逛的野狗，四周一片寧靜，只有蘿絲和我，伴隨著浪潮拍擊。

回程時我在甲板上睡著了，滿腹啤酒和全世界最好的海鮮。

我睡了好一陣子，醒來時太陽已換到另一角度。很熱，我可以感覺到熱氣從躺臥的海灘巾透上來。遠處傳來海鷗的叫聲，以及海水輕拍岸邊的聲音，船在我身體下嘰嘰喳喳地行駛於波浪起伏的南中國海上。

突然，蘿絲站在我面前，她在午後的陽光裡對我微笑。

我瞇著眼，舉起手遮住陽光，可是陽光太強，我看不清楚，只看到黑色影圈在我面前移動。我坐起來，仍然瞇著眼看她。

「不要動。」她伸出手。

蘿絲站在我身旁，細心地調整位置，好讓自己的頭擋住陽光。陽光環繞著她的頭，看起來像日環蝕。

我拿開手，可以清楚地看到她的臉。她在自己的影子裡微笑。

她填滿了我的天空。

「看得到我嗎？」她問。

「可以。」

「確定？」

「是的。」

「那很好。」

我們就這樣停著。好像，她想將她的臉烙印在我的記憶裡，她想要我永遠記得這個時刻，她想要確定她會永遠在我心裡。

然後，她移開了。

「你應該擦點防曬油，會曬傷的。」她說。

我繞過邱吉爾國際語文學校三次才看到它。

學校入口位於牛津街最擁擠的地段，就夾在老舊布店和新開張的咖啡館之間，很容易被忽略。我在喝了兩杯加太多糖的卡布奇諾和差點買了件牛仔褲之後才看到入口。

入口處站了兩個該校的學生。他們一邊聊天，一邊玩弄他們的── 女的是肚臍環，男的是鼻環和眉毛環，同時發傳單給路人。當我經過他們，爬上那直直的樓梯時，他們連看都不看我一眼。

學校佔了整個樓層，越往裡走越寬闊，它像個秘密地洞，也像衣櫃裡的「納尼亞王國」。屋里迴盪著笑聲和外國口音，老師正在耐心地解釋「to see the light」的含義。

看來，邱吉爾的學生遠比黛安娜或雙福愉快多了。我聞到即溶咖啡和照燒雞的味道。黃色、剝落的牆壁上貼滿公告單與廣告單，有賣電鍋的、房屋出租的、找家教的，上面的文字則有英文、法文、義大利文和日文。各種不同的語言正在陽光下引導著學生生活。

這裡沒有黛安娜綜合男子中學的威脅感，沒有雙福的一本正經。這是一個年輕、喧鬧、友善的地方，沒什麼壓力。我問招待處是否有教師缺，他們讓我填了申請表，二十分鐘之後，我來到校長麗莎．史密斯的面前。校長是位染紅頭髮、穿著戰鬥鞋、戴著大而粗獷的耳環的女性，拘謹、有禮，雖然裝扮年輕，看起來卻像個六十歲人。她仔細研究我的申請表。

「任何地方都需要英文。從這裡畢業的學生會進入觀光界、商業界、電子業界。不論從事那個行業，沒有良好的英文能力是不行的。英文是世界語言，是下個世紀的語言。」她說。

「說來好笑。香港回歸前夕，我在那兒。那裡每個人都說，大英帝國、殖民統治、西方時代終於結束了。但是英文卻比以前更重要。」

麗莎．史密斯露出一絲微笑。

「喔，巴德先生，這裡的學生並不想成為英國人，更不想加入大英帝國，他們只想國際化。」

國際化，頂好的。我去香港時，我的夢想是成為比我自己大的世界的一部份。我做到了。我超越原來的我。但不是因為那些燈火，而是因為一個女人。

蘿絲改造了我。她將我轉換成一個我一直想成為的我。感謝她。那時，我已經朝那個方向進行，開始寫些小短篇。可是突然間，什麼都沒了，所有的東西都從我身旁慢慢溜走。

我並沒有告訴麗莎．史密斯，我其實已經厭倦教書工作，也沒有告訴她我在雙福教那些身穿高檔服飾的太太們教得很煩，很喪氣，也沒告訴她我在黛安娜教那些身穿名牌青少年教得心驚膽跳。

我很有禮貌地問一些有關薪資和工作環境的問題。因為這些是該問的。

事實上，我想加入，想成為邱吉爾國際語文學校的一份子。我想要和一群還擁有夢想的人在一起。我渴望成為那遙遠笑聲的一部分。

4

六點多時，賈思走出辦公大樓。他的出現引來一些女秘書的注視，他則假裝友善的眨眼微笑回應。賈思等到這些年輕女孩走開，加入回家的人潮後才漸漸收回笑容，走向我。

「你的臉色不好。喝杯酒吧？去摩菲媽媽之泉？」他說。

「他們賣青島啤酒？」

「艾飛，他們不賣青島啤酒，他們是愛爾蘭酒吧。愛爾蘭酒吧不賣中國啤酒。天啊，跟你一起尋找古柯鹼是一點用處也沒有。你連在你的胖屁股中間找古柯鹼都找不到，對不對？」

賈思是我的好朋友。我常常認為他不喜歡我。有時我相信他對我的出生感到悲哀。我們一起喝酒時，他會花大部份的時間在侮辱我，即使他深信那類無心的語言一點建設性都沒有。

去摩菲媽媽之泉的路上，賈思不斷提醒我我是在浪費生命，告訴我沒有女人會要我。而當我告訴他邱吉爾國際語文學校的工作機會時，他很明白地表示那不是一份好工作，就像我的前一份工作般，不是好工作。

雖然如此，賈思仍是我真正的朋友。從香港回來後，我們還一直保持連繫。他混得很好，不像我經常在唐人街閒逛。通常在這種情況下，朋友很容易漸行漸遠，但是，我們比在香港時走得近。

雖然我有過不少朋友，可是，沒有一個是真正的朋友。

不是他們的錯，是我的錯。我總有辦法讓他們漸漸離去，不回電話、推辭晚餐邀約，我一點也不用心保持任何一份友誼。他們都是好人，只是我不在乎，不願意花時間在維持友誼所必須的連繫。

回倫敦後，我同幾個過去的朋友一起喝酒、喝咖啡，但還是漸漸疏遠。賈思是我唯一想見的人。他是我與香港之間最後的連繫，可以讓我回到我與蘿絲的世界的一條路。如果我也讓賈思離去，香港就會消失。我不要香港消失。

「你們像觀光客，對當地的一切充滿感動，用心欣賞風景，視那個世界為迪士尼樂園，買些小玩意回家擺在壁爐上。你跟蘿絲，真是一對觀光佳偶。」在充滿西裝筆挺的英國人的愛爾蘭酒吧裡，賈思這麼說。

為什麼賈思要找我喝酒而不找那些年輕有為的律師？因為我們彼此需要，因為我是他過去快樂日子裡剩下的唯一聯想。

賈思現在的辦公室在市區，他的收入很高，快要成為合夥人了。雖然他嘴上說他不懷念香港的日子，但我覺得他私底下很懷念那種在香港當外國人的感覺，覺得自己可以做任何事，覺得自己的生命豁然開朗，覺得自己終於可以成為一個自己一直想要當的人。然而，這種感覺在回到倫敦後就失落了，你發現你又回到過去的自己。

賈思有種被奪去了什麼的感覺。在香港時，他被看成是他所想要被看成的人：一個酷酷、自信的公子，畢業於一年學費要一萬五千英鎊的學校，是高傲的莊園繼承人。

然而，那不是真的。在倫敦，有許多人能一眼看穿他。

賈思幼年的生活很富裕，他的父親是勞依茲保險集團的保險師，十歲以前，他讀私立學校，上網球課，住在郊區一棟獨立的房子。然而，那一切都在他父親中風之後慢慢失去。

十二歲之後，賈思讀倫敦外圍的普通中學，他常在學校被同學作弄，笑他說話的腔調像查理王子。世上沒有任何一個保險能將你的生活回復給你。青少年時期的賈思，擁有的只剩下他的姓氏、腔調，以及他的故作姿態。他的做作還蠻成功的，不只唬了我，也唬了大多數人。

但賈思的同事們多來自生活優渥的上流家庭。他們的父親不像賈思的父親四十歲就中風。

這些人第一次見到賈思時只是笑笑，他們不用一分鐘就能分辨出，他不是來自同樣的家庭背景。

奇怪的是，賈思會假裝他現在擁有的東西—法律學位，高級公寓，全新BMW跑車—來得很容易。事實上，據我所知，那些東西沒有一樣是容易得來的。他為此遷怒於我，這也是為什麼他老要損我，我們之間有一種別人無法理解的共識。

「香港！你怎麼可能懷念香港？那個地方的婚禮喪禮用得是你聽不懂的語言，海岸線每次看每次變，電影院內手機響個不停，海鮮還必須檢驗是否帶有B型肝炎，除了菲律賓女傭外人人板著臉。崇拜金錢、性、購物。再者，還有颱風、港式流行樂、以及LV包包。那裡的氣候潮濕到會在鞋裡長葉子，超級市場的冷氣則會凍死你。垃圾，包括廢冰箱，都有可能從天而降。」

「你不也很懷念嗎？」我說。

「我必須傷心地說，是的。我還記得我在香港的第一次性經驗，我可能還保有收據。」

賈思點點頭。

他和我一樣想念香港的日子，他試著掩藏這種感覺，他藏起了。有時候，我覺得賈思是在妒忌我。是的，我沒有人人都想擁有的金錢、汽車、事業，或其他東西。但是同時，我也沒有上司、規定要穿的領帶和西裝、必須力爭的工作機會。我沒有會賺大錢的合夥機會，但也沒有東西可讓別人取走，至少現在沒有。

然而，賈思和我之間還是有一點點危機。他惡劣的態度不是用來掩蓋他喜歡我，相反地，賈思認為我在他正想追求蘿絲時，從他身邊搶走了她。

我個人認為，人不可能從一個人身邊搶走另一個人。人怎麼可能被搶走。有些人的想法實在幼稚。

人只會自己溜走。

實在不能再喝了。我們沿著城市路走，再走完亞菠街，就為了找輛黑色計程車。

我們一直走到海保麗區的另一頭，人潮和時髦突然都不見了，只剩貧窮和現實。我們還是沒找著車。街尾有盞暈黃的燈亮著。

「你找輛計程車吧。我可以走路回家。」我說。

「先吃點東西，總得先填滿肚子。」

雖然我們已經走入較暗的區域，但我知道這裡有幾家不錯的餐廳。翠玉在好羅蔚路的那一頭，是家小小的義式餐館。它的對面是蒲扇，是近市中心的幾家韓國餐廳之一。不過，翠玉已經關了，蒲扇則客滿。

「到那一家吧？看來髒髒的，但我餓極了。」賈思說。

他指得是一家不太起眼的中國餐廳，位於乾洗店和燒烤店中間，叫上海龍。霧濛濛的玻璃窗上貼著舊式外帶菜單、當地報紙和雜誌餐館評論，以及可能是餐廳名字的大紅中國字，角落則有小小一行「狗勿入」。

餐廳的門是塊厚厚的長方板，中間鑲玻璃。玻璃上有條斜眼的金色龍，看來有把年紀。除了暗暗的玻璃窗和皺皺的菜單之外，你可以看見裡面人頭晃動。生意不錯，好現象。賈思和我決定進去。

上海龍裝潢簡單，空間小，有點雜亂。L型的設計，大廳是堂食，小廳是外賣。這時大廳只剩下幾對吃完飯的客人，正在喝咖啡加薄荷巧克力。外賣區倒是擠滿剛從酒吧出來的客人。大型電視掛在天花板，正在播放黛安娜和查理王子。

一位上了年紀的中國女人趴在小小的檯子上用中文幫客人寫單子，一杯綠茶擺在她面前。

你可以聞到舊舊的廚房門後傳出的味道，有蒜頭爆青蔥、牛肉炒豆豉醬、炒麵、炒飯。我看看賈思，他想得一定跟我一樣：聞起來不錯。我們一起研究菜單。

「下一位。」那個上了年紀的中國女人叫道。

一個理光頭，穿卡其短褲的男子晃到前面，他的打扮像年輕人，可是實際年紀卻不小。正在過暑假的四十歲男人，是現在本區流行的打扮。他有個啤酒肚，滿身酒臭味。

「一包炸薯條。」

「要點餐才附炸薯條。」

「給我一包炸薯條，你這小猴猻。」男人臉臭臭地說。

「不能講髒話。要點餐才附炸薯條，上面寫得清清楚楚，你要炸薯條就點餐。看在老天份上。我不是昨天才生的！」那個中國女人張大棕色眼珠，用原子筆敲打菜單，毫無畏懼。

「我不要點那要命的餐。」

「不能講髒話。」

「我只是要一包炸薯條。」

「要點餐才附炸薯條。脾氣不好也不要到這裡胡鬧。下一位。」女人的態度很堅決。

其他客人都已點過，「下一位」就是我們。我走上前去開始點菜。那男人伸出粗手將我往後推。

「給我一包炸薯條，妳這條老牛。」

「你以為你是誰？」賈思對著他說。

這個光頭中年人轉身，前額打在賈思的鼻子上。我的朋友嚇了一跳，表情痛苦地往後退，他的鼻血已經飛濺在白襯衫及絲織領帶上。

「你等等，會輪到你的，你這個傲慢的傢伙。」

這個光頭佬一把抓起女人身上的圍裙，她有點受到驚嚇的樣子。

我出手阻止他，他轉身以極快的速度往我肚子打了三拳。我抱著肚子，一邊想這人是不是看太多衛星電視了，一邊想著：不得了，好痛！

「我不要任何油膩的垃圾食物，我不要你們的甜酸垃圾，給—我—炸薯條。」他一付理直氣壯的樣子大叫。

「要點餐才附炸薯條！」她再次大叫。兩人正在拉扯時，廚房的門開了。

廚子站在門口，六十出頭，圍條舊舊、油漬斑斑的白色圍裙，他也是個光頭。我覺得他很眼熟，可是一時想不起來在那裡見過他。

是在公園裡跳慢舞的老先生，告訴我要記得呼吸、打太極拳的老先生。

老先生走向他們，光頭佬放開女人。兩人互看一會兒。光頭佬舉著胖拳，一付準備迎戰的姿態，而老先生只是看著他，等著不動。

女人指著光頭佬，用廣東話又氣又急地說了一串話。

「點餐才附炸薯條。」老先生平靜地說。

兩人互瞪一會兒，之後光頭佬輕蔑地乾笑兩聲，轉開頭，口中喃喃自語，他大力甩開門，走出上海龍。餐廳氣氛馬上輕鬆下來。每個人都很不可思議地看著老先生。

廚房的門又開了，另一個中國人走出來。這個人年輕多了，體格較壯，提著一大袋銀色餐盤。他看到我跟賈思，驚訝地張大嘴。

我痛得忍不住要掉淚。賈思則是頭仰著，歪躺在塑膠椅上，臉上敷條沾滿血的手巾。

女人又用廣東話說了一堆，口氣不像剛剛那麼兇。老先生這才注意到我們。

「跟我來。」

他領我們穿過廚房門旁的另一扇門，上樓進入一幢門戶獨立的公寓。裡面擠滿了大大小小的中國人，全都聚精會神地在看黛安娜和查理王子的節目。

我們被領進去裡面一間浴室，老先生用他那雙冰冷、有經驗的手檢查我們的傷勢。我的肋骨部位已經淤青了，但他說沒有裂，所以沒什麼大礙。賈思的鼻子就不太好，已經歪一邊了。

「鼻樑打斷了，得上醫院，不過我先把它推回去。」他說。

「把什麼推回去？不是指我的鼻子吧？」

「先推回去醫生好修些。」

在賈思的哀叫中，女人衝進浴室，氣呼呼地用廣東話夾雜英文說了一堆。

「他們懂什麼？只會喝酒鬧事，口出髒話。氣死我了。什麼甜酸肉。炸薯條。炸薯條跟髒話。」

「不是每個英國人都這樣。」

「我指得是不好的英國人」她嘀咕著。

「要不要喝杯茶？英國茶？」她笑著問我們。

她叫喬伊絲，他叫喬治，姓張。他很安靜，她則嘰嘰喳喳地說個不停。

「不過是茶壺裡的風暴……就當做是奶油不會在褲管裡溶掉……死的像溜溜球……我把腳放在那裡面……別粉飾你的想法……鼻子撞到釘子……別傻了！」

喬伊絲和喬治是王室愛用的名字，也是廣東人愛用的英文名字。是已經消失幾十年後又開始流行的名字。

喬治幫我們包紮，用萬金油推摩我的肋骨，用棉花擦拭賈思臉上的血跡。喬伊絲則在旁說個沒停，替我們準備茶和小點心。

全家人都在，喬伊絲和喬治，他們的兒子哈勒，就是那位後來從廚房走出來的年輕人，媳婦桃樂絲—另一個廣東人愛用的老英文名字，以及哈勒和桃樂絲的兩個孩子，男孩大約五歲，女孩更大些。大人們並沒想到要介紹小孩給我們認識。喬治讓孫女坐在他腿上，喬伊絲則抱著小男孩。我們一起喝茶，他們喝綠茶，我們喝紅茶，我們坐著一起看黛安娜和查理王子的節目。在一陣靜默後喬伊絲突然說：

「你們怎麼了？貓躲進你們的嘴巴裡了？」她一邊幫我加茶，一邊問所有在場的人。

她是個奇特的老太太。再說，我不太習慣面對一屋子廣東人：是因為電視節目主導整個屋子？三代輕鬆自如地坐在一起？還是茶和點心？

這個屋子讓我想起我遙遠的家庭，童年記憶裡的家庭，不知為何離我而去的家庭。

chapter 5

5

我之所以喜歡邱吉爾國際語文學校，是因為那裡的學生肯定不是小孩。那裡的學生大多是二十歲上下的年輕人，當然也有一些年紀稍長、較成熟的學生。他們有漢城來的離婚太太、在東京工作數年的上班族，以及多次遭英國領事館的小職員拒絕簽證的人。

我喜歡他們樂觀、年輕、尚未定型的生活型態，羨慕他們願意繞半個地球來學習另一種語言。

可是我不懂，他們為什麼不喜歡我！？

他們不是遲到，就是索性缺席，即使出現了，也是哈欠連連，昏昏欲睡。

有一天，我對他們其中一個發飆，那是一個鏡片破損的中國男孩，叫曾。他熬不過瞌睡蟲，在我正興緻高昂地講課時睡著了，多好的機會。

「你們怎麼搞的？半數課不來上，即使來了，也像吃了過量的安眠藥。看看這傢伙，活像個死人。我的課這麼無趣嗎？來，說說看到底怎麼回事。」

他們愣在那裡。其中一、二個在揉眼睛。曾已經打起鼾。

「不會的，我們喜歡上你的課，很好，真的。」前排一個日本女孩說。她是一個新潮的日本女孩，染金髮、濃妝、高跟靴子，像閃亮樂團的成員。她邊說邊看其他同學。我想起她的名字了，她叫優美。

「那為什麼你們不來上課？為什麼這傢伙昏迷不醒？為什麼每個人都處在睡覺邊緣？」

「拜託，曾哦，怎麼說？他被宰了。」一個瘦高的波蘭人說。波瀾人叫維托，他花了十年才讓位於華沙的英國領事館在其申請卡上蓋章。

「他每天晚上打工。喂，醒來！老師在跟你說話。」坐在曾旁邊的巴基斯坦小孩伊恩崙開始搖他。

曾咕噥著睜開眼，可能還搞不清楚身在何處。

「你打工？是不是？」優美問。

「李將軍好吃田納西廚房，萊斯特廣場，生意很好，」曾點點頭。

「那不是理由，我不介意你們打點小工，可是不能在我的課堂上打瞌睡，那樣非常沒禮貌。」

「不是小工！」伊恩崙說。

「工作到早上三點。要加炸薯條？要喝點什麼？你要李將軍全家福特餐？廁所只給客人用，唉！」他搖頭說。

「我不是在批評，但倫敦的生活費實在太高了，他得拼命打工，我們也一樣。」伊恩崙又說。

「我不打工，但是其他的人都必須打工。」年輕的法國女孩凡妮莎輕蔑地說。她是少數法國來的學生之一。

「我在巴西牛排酒廊打工。很亂，一堆醉鬼。叫我阿根廷小子。戰敗滋味如何？退出福克島？嗨，阿根廷小子，你喜歡毛絨絨的綿羊？不要用你的髒手摸英國綿羊！我說我是波蘭人，他們說會把我的臉打入我的國家，不管我從哪裡來。」維托說。

「典型的英國人？粗話、打架、吃垃圾食物，很好的夜間活動。」凡妮莎笑著說。

「我在古怪壽司，你知道嗎？」日本來的男孩敬恩說。敬恩個性內向，從不主動提起自己的事。他和優美嘰嘰喳喳地用日本話交談。

「迴轉餐廳，就是把食物放在輸送帶上一直繞。」優美還用手繞圈圈來解釋。

「迴轉餐廳在日本是低級、便宜的餐廳，是工人和卡車司機用餐的地方。因為壽司如果在輸送帶上轉久了，就會不新鮮。但這種餐廳在這裡很流行。古怪壽司隨時都有很多人。這是心理作用。」敬恩說。

「我們都打工，我在邁可柯林酒廊，」優美說。

「愛爾蘭酒吧，氣氛不錯，金氏黑麥啤酒和可兒家族音樂，很輕鬆的地方。」曾接著說。

「不做不行，倫敦的生活費比東京還高。除了凡妮莎，我們都很辛苦，」優美聳聳肩。

「我也很辛苦的，我的男朋友讓我很累。」凡妮莎說。

「我們喜歡上你的課。就像……人家說，與你個人無關。」優美笑著下了個結論。我忽然發現她還挺可愛的。

她低頭看看桌面，再抬頭看看我，仍然掛著微笑。最後我不得不轉開頭。

回家時，我發現莉娜在廚房哭泣。

不該感到驚訝。自從《有橘子的聖誕節》暢銷，父母搬進這個大房子後，我已經看過不少在廚房哭泣的景況，包括薩丁尼亞女孩想念媽媽的拿手菜、芬蘭女孩想念男朋友、德國女孩發現自己不喜歡在中午以前起床。

父母對她們都很好。父母對待傭人的方式好得遠超過友善，他們幾乎是用帶著歉意的態度在對待她們。可是這些女孩還是會因為一些緣故，邊吃低酯酸奶，邊哭得淅瀝嘩啦。

我以為莉娜和她們不一樣，她有種不可侵犯的氣勢，那種只有漂亮女孩才有的氣勢。對我們這種長相中等、甚至中等之下的人來說，美貌似乎是一件神奇的保護衣，不會有任何傷心事發生在穿著保護衣的人身上。

然而，面貌中等的人往往高估美貌的力量。莉娜是如此美麗，但仍舊哭得傷心。

莉娜難為情地用廚房紙巾擦拭眼淚，我也覺得不好意思，尤其是我問了她一個笨問題。

「莉娜，妳還好吧？」

「很好。」她用手背擦拭她那美挺的鼻子。

「要咖啡或是其他喝的嗎？」

莉娜用她那受傷的眼神看我。

「牛奶。謝謝。冰箱裡有些橘子。」

我倒了杯牛奶給她，然後坐在她對面。我不想太靠近她，我總覺得該保持點距離，即使是像現在的情況。

我看著她像鳥啄食般喝牛奶，可愛的臉龐因激動而通紅，藍色大眼則因哭泣而紅腫，漂亮的金髮上沾著眼淚，她用手指繞捲著廚房紙巾。

「怎麼了？」我問她。即使我已經知道答案。這些幫傭女孩不會因為想念媽媽的蘋果捲就哭成這般模樣。

「我只是想要有個人永遠愛我，」她小聲地說。悲哀與恐懼在我心裡升起。永遠？這是唯一不對的事。永遠這個東西在這時代是越來越短了，這是根本的問題。

一眨眼，你就錯過了！

一天早上，在父親出門去健身房之後，母親告訴我她想替父親辦場慶生會。母親很興奮，完全無視於我試著要她打消這個念頭的舉動。

「他討厭派對，尤其是慶生會，更別說是他自己的。」

「他就要五十八歲了。而且他，你父親，有許多朋友，」好似五十八歲會改變他的想法。

有時，當我們討論事情時，我會不得不懷疑我們是在講兩件完全不相干的事。我跟她說他不要別人提醒他的年紀，她跟我說他就要五十八歲了，而且有很多朋友。母親常常讓我覺得我是否忽略了什麼。

「媽，五十八跟這個有什麼關係？妳以為他需要別人告訴他？而且，他哪來的朋友？誰是他的朋友。」

「你知道的，報社的記者，運動界的人，出版界的人。」

「媽，這些人沒有一個是他的朋友。他們只是他認識的人。況且，大部分人他都不喜歡。」

她聽不進去，她早已經決定，而且現在她忙著準備去上班。她已經換好制服：短袖方格連衣裙，尼龍之類的人造衣料，前方縫上假的圍裙。稍後，她會紮起頭髮，她的頭髮還很黑亮，我猜她染髮有好幾年了。最後，帶上一頂小白方帽。

母親是當地一家學校的午餐女士。不是我教過的黛安娜男子綜合中學，她在尼爾森曼德拉高中，男女合校，比我的還糟糕。「現在的女生跟男生一樣壞，甚至更糟。」她說。即使父親的收入好得不得了，她也不想放棄她所謂的「小小職業」。這就是為什麼他們必須請幫傭清理這大房子，為什麼莉娜會在這兒，因為母親不願意放棄她的工作。

母親真心喜歡她的工作，她喜歡和一起工作的太太們談談鬧鬧，喜歡走出家門過她自己的一天，她更喜歡那些小孩子。

雖然說，這些小孩子中有人說話低俗，而且可能會為了買一盎司毒品賣掉自己的奶奶，母親還是認為世上沒有壞小孩。

「我的孩子們，」她常這樣稱呼他們。即使那些學生態度粗魯，滿口髒話，即使她看過那些學生最壞的一面，即使他們顯然不值得她關心，她對他們還是很有感情，還是稱他們

「我的孩子們」。

她不准他們在排隊買漢堡薯條時沒禮貌，不願忍受他們在福利社裡說粗話，不讓他們互相鬥毆（在我認為，讓他們互相鬥毆總比鬥那些薪資低的可憐的老師好多了）。

母親以放下杓子，衝去操場勸架聞名。我勸過她，說她瘋了，說她有天會被揍得很慘，但她聽不進去。我的母親雖然只有五呎二，但是很兇悍，也很固執。

她在尼爾森工作了快二十年，從它的前身，還是克萊蒙亞特利文法學校就開始了。這意味著某些接近中年的人會記得她，跟她走在街上可能會有酒鬼突然上前說，「巴德太太，還記得我嗎？」

「以前的小孩子。」她會這樣說。

我不懂她怎麼會對這些學生這麼有感情，我猜想她大概有太多的愛可以施給，多到父親加上我都用不完。

我記得以前母親流產過不少次。當時家裡不講這種事，現在也不講這種事。但對這些事情，我印象還很深刻。

我不太清楚到底發生過幾次，我只能確定不只一次。我還記得大人經常講起幫我添個弟弟或妹妹之類的話。我記得姑姑阿姨鄰居太太常笑著對我說，快要有人需要我照顧了。

那時，我不知道她們在說些什麼，不懂她們那些甜蜜的微笑和神秘的暗示，我無法想像怎麼會有這麼不怕死的人需要我的照顧。我就是不懂。

過些時候，我常看見母親坐在樓梯上傷心哭泣，父親則在一旁安慰她。我漸漸懂了。

那些太過自信的鄰居會突然不再說那些逗人的話題。我不會有弟弟或妹妹，我的父母不會有第二個孩子。不是這次，不是現在。結果是，永遠不會有。

我常常想，沒有生下來的弟弟妹妹到哪裡去了，天堂嗎?我試著想像他們的模樣，不像在學校和公園的小朋友，也不像朋友的弟弟妹妹，我沒肉眼見過他們。

對我來說，這些未出生的弟妹像一個概念，一個曾經被人擁有、想過、卻靜靜地被放置一旁的概念。但我記得母親坐在樓梯口悲傷地哭泣，像是這些孩子曾經來過這個世界。

毫無疑問，母親愛我，也愛我的父親，這方面她做得很好。在那些讓人痛苦的日子裡，她一直是我們的支柱。

然而，即使她給我們很多愛，我總覺得她還有更多的愛可以給予別人。因此她可以對那些一點也不可愛的學生付出感情。

「我們要給他一個驚喜，別告訴奶奶或莉娜。」她邊穿外套邊交代。

「不太好吧!」

「慶生對他有好處。」她這樣說。霎那間，我看到一個五十四歲，在尼爾森曼德拉高中操場勸架的女人。

父親的新書進行得不太理想。

如果寫得順利，地下室的門會關著，音樂會大聲地從門縫傳出。通常他會放一些帶著甜膩靈魂、藍調樂風的老音樂，那種充滿深沉憂鬱和野性的音樂，三十年前年輕人愛聽的音樂。

現在，因為寫作不順利，或者說他根本不知道要寫些什麼，整個地下室靜悄悄的。有時我看他坐在書桌前瞪著電腦，旁邊堆著讀者來信。這些讀者泰半是來致意的，說他們非常喜歡《有橘子的聖誕節》，說書裡的情節讓他們哭，讓他們笑，讓他們想起自己的家庭。這些從出版社轉來的信讓他欣慰，但同時也給他很大的壓力，讓下本新書的起頭變得困難。

父親其實很少待在家裡。他早上到健身房鍊胸肌、縮腹肌、增強臀部彈性，直到汗水遮瞎他的視線。之後則有應付不完的雜事與宴會——喝酒、晚宴、午餐、頒獎會、電視電台節目。這些從中午延續到晚上的事是他的大困擾。他會瞪著電腦一陣子，然後突然打電話叫車溜去倫敦西區。

他到科芬園、查令十字路、牛津街的書店去簽名。簽過名的書比較好賣，所以書店都很歡迎他的出現，即使沒有事前約定，即使他們有其他的事要忙。年輕的店員會抱來一疊書和一杯咖啡，他就開始他的工作。這就是他打發下午時間的方式。

有次我在其中一家書店看到他，那家店還賣光碟、雜誌以及特別品牌的咖啡，就是那種現在流行的不只賣書的書店。他沒有看到我，而我也沒有上前打招呼。上前打招呼似乎會闖入他私下的悲傷。

他看起來很寂寞。

父親在下午時間逃離他的寫作，逃離他的家人，逃離他的家到西區，有可能還做其他的事。但是，目前看到的他就是我心裡所想像的——單獨一人坐在繁忙書店的角落，一杯冷掉的拿鐵，藉著重復寫他自己的名字來消磨長長的、寂寞的下午。

一些學生邀我星期五晚上跟他們去酒吧。

我想甩掉這份邀請，於是告訴他們我不太喝酒，沒去過酒吧，這似乎傷了他們的心。

一個不喜歡酒吧的英國人？他們不接受這樣的藉口。

我只好說我會去一下，他們欣然同意。只待一會兒是對的，因為他們晚上得到酒吧、漢堡店或迴轉壽司店打工以賺取生活費。

我們去圖騰漢廳路的愛蒙．得弗里拉，那是家愛爾蘭酒吧，六點不到就擠滿了從世界各國來的年輕男女和少數當地人，大家喝著金氏、莫非啤酒或可口可樂。

「老打瞌睡，」優美責怪他。

「哇！抱歉，抱歉。昨晚沒睡。我的寄宿家庭爭吵了一個晚上，我……我……幹！」曾搖搖頭抱歉地說。

整桌人對他的理由感到訝異，少數人則在偷笑。

「不說粗話。」優美說。

「對不起。」曾有點不好意思。

「沒有關係，這些詞是你現在學習的語言的一份子。不少有名氣的作家都用過粗俗的罵人字眼。事實上，你的用法還挺有趣的，你想說得是你很累吧。」

曾笑笑，「昨晚我寄宿的家庭有人喝醉了，在爭執一些事。」

「他向一個家庭租一個房間，那個家庭又是跟另一人租。不合法，而且是下層階級，沒受多少教育的。」優美說。

「他們還好啦，只是我現在很……幹。」

「不，」維托說，「你是被幹掉啦。」

「那就是說很氣憤。」我接著說。

維托建議道：「他……可以說……幹上了。」

「也可以這麼說，但是，那不只是累，還有其他意思。曾可以說，我……幹。」

曾咯咯笑，「是，是，我……幹！」

「英文有這麼多粗話。德文裡有一堆字是代表『你』，例如Du, dicb, dir, sie, Ibnen, ibr, eucb。英文裡只有一個you意思是『你』，但卻有一堆罵人的髒話。」維托說。

「其實英文裡並沒有一堆罵人的髒話，但是有很多用法。」

「啊，是的，」敬恩說，「譬如說，I do not give a fuck。」

優美笑得喘不過氣，凡妮莎偷偷地笑，維托則靜靜沉思。

「那就是說——我不在乎。」敬恩自傲地說。

「也可以用來批評某人是一個無用的『幹』。」我補充。

「那是不是說那個人做愛技術很爛？」優美問。

「不是，不是，那只是指那個人是個無用的傢伙。」我臉紅地解釋。

「愛斯基摩人有五十個不同的字來形容雪，英國人有五十個不同的字來形容『幹』。」

維托下結論。

「Fuck my old boots。」我說。

每個人都皺眉看著我。

「這是什麼意思——Fuck my old boots？」維托問。

「表示驚訝，」我解釋，「也可用，Fuck a duck。」

「跟畜牲做愛？」曾問，「像黃色電影？」

「我們不叫黃色電影，那是中文叫法。在這兒我們說是色情藍片[1]。」

「哇！」

「Fuck a duck 是表示驚訝的另一種說法。」

「像fuck all？」維托又問。

「不，那是沒什麼的意思。」

「Fuck all是沒什麼的意思？」

「不錯，你可能想成fuck me了。」

「我工作的牛排館，」維托說，「那些酒品惡劣的醉鬼。」

「嗯，很英國人喔，對不？」凡妮莎說。

「他們不高興帳單的金額，叫經理出來理論，」維托繼續說，「他們會威脅要幹掉他！罵經理 fuck face！」

「真糟糕。」我說。

「那是什麼意思，fuck someone's arse off？」敬恩問，好似在探索不可思議的語源。「是不是那種性交……怎麼說好呢……從後面？走後門的人？」

「不是，跟那沒關係，那句話是表示性交的熱度。你們知道嗎？」我解釋說，「英文最好的地方是——也是你們學英文，不學中文、西班牙文或法文的理由——英文是種很有彈性的語言。」

「但是英文也是一種奇怪的語言，」維托堅持他的想法，「那本奇怪的書《Roger's Thesaurus》？」

「Roger's Thesaurus。」我糾正他。

「對，對，不是字典。那是本同義字典。我們就沒有類似的書。」

「我認為同義字是英文的特色之一，這也是為什麼英文能參入其他的語言，因為你可以用在你認為適合的地方。」

「對不起，」曾站起來準備離去，「我得fuck off。」

「他要走了，」敬恩帶著勝利的表情說，「曾得去李將軍的好吃田納西廚房上工了。」

「他得『幹』離開去上工，」維托謹慎地宣佈，像語音學教授經過一番練習之後下了一個總結論，「要不然呢，『幹』的人會幹的炒他鱿魚。」

沒多久大家都走了。敬恩去布偉街的壽司店，維托去沙福茲貝里大道那家有一堆醉漢、陰森老舊紅色的牛排館。凡妮莎去酒吧找些迷惑的英國男孩來邀請她跳舞。

只剩下優美和我，兩品脫金氏啤酒加上她的棕色眼睛，讓我說不話來。

「我喜歡你，你是個好人。」她說。

「幹」，下地獄去吧。

注釋

1 Pornography blue films.

6

奶奶正在向一個英國廣播公司的重要人物吹噓自己活到八十七歲，牙齒一顆都沒掉。媽媽穿一襲紅色長衣，頭髮盤上，看起來很迷人。她笑容滿面地周旋在賓客之間，以確定每個人都被妥善地招呼到。

我如以往般徘徊在無聲的恐懼中，害怕來賓中沒有我可以聊天的對象。我過了一會兒才說服自己冷靜下來。這會是一個特殊的夜晚。

來賓有大聲喧嘩的體育記者，吱吱喳喳、字正腔圓的女電視工作人員，穿著丹寧布上衣的作家，還有咬著大雪茄、看來不太正經的深夜ＤＪ，以及穿亞曼尼套裝的英國廣播公司工作人員。

然而讓我驚訝的是，只要善意的氣氛、昂貴的酒和上等壽司，就可以讓這些來自不同世界的人相處融洽，而且，還散發著對我父親的真誠祝福。

我說父親沒有真正的朋友，顯然是錯了。這幫人仰慕他，喜歡他，以身為他的朋友為榮。我為我的父親感到驕傲。

他們來自倫敦各個不同的角落。不論是他過去報界的老朋友、上通告認識的新朋友，還是出版商、氣味相投的評論家、書商、脫口秀主持人及作家，他們全都曾經鼓勵、幫助過父親。

慶生會是在室內泳池旁舉辦的，這是唯一可以藏匿百人的地方。客人散處游泳池四周，喝酒、吃燒烤和壽司捲，彼此開些無傷大雅的玩笑。這的確是個舉行宴會的好地方。明亮的日光燈讓宴會看來好似在一個照亮的大型舞台上舉行，池水閃閃發光，侍者手上的銀盤穿梭在賓客之間。這是為一個特別的人，準備的一個特別夜晚。

「他回來了。」母親高聲宣佈，同時關掉大燈，可是因為池裡有幾盞安全燈，所以不夠暗。有人趕緊關掉那些燈，整個屋子陷入黑暗。

父親的賓士從街上轉進來時，有人在暗地裡低聲說話，吱吱笑。眾人聽著引擎熄火，鑰匙開門，之後一陣靜默，突然，通往泳池的門被打開。

通道上有黑影移動，並傳來衣服磨擦聲，和低低的喘息聲。我們聽見他走進那間最黑的屋子，以為他會打開燈，可是他沒有。我們又聽到木頭的吱動聲，他在跳水板上！他要跳水游泳！我可以感受到四周壓抑的笑聲和緊張的氣氛。

燈突然被打開，滿屋露齒微笑的人，太亮了！

「Surprise！」有人大叫。

笑聲驟然停止在我們的喉嚨裡。

父親一絲不掛地站立在跳水板上，不可置信地看著四周的每一個人，視線最後停留在母親臉上，驚嚇的神色很快轉變成羞愧。

莉娜跪坐在他的面前，衣衫整齊，金髮規律的上下擺動。她，就是木頭會叫的原因。

我以為，我才是她喜愛的人！那應該是我！真不公平！父親將手放在她的後腦，她停止擺動，張開眼睛，往上看他。

母親發出的聲音不像尖叫，倒是有點像無法相信、不該如此的羞辱的號叫。

慶生會癱瘓了幾秒鐘。母親轉身急跑離去，她撞上一個侍者，把侍者撞得落入水中，銀盤上的半打香檳摔碎在池邊。

「慶生會結束了嗎？」奶奶問。

大家在提到我的父母時一向是邁克和仙蒂，從來不是仙蒂和邁克。邁克和仙蒂，永遠是邁克和仙蒂，這意味著父親在家裡的無上地位。

邁克和仙蒂是老式英文名字，在英格蘭已經消失了—那個父母、叔叔、伯伯、阿姨還年輕時的英格蘭。

老式的鄉村酒吧，假日的海邊旅行，聖誕夜打牌（男人與女人），採購日踢足球（男人與男孩），友人來訪時會到同村的店裡去射飛鏢、喝兩品脫啤酒（男人與男人）。

這是塊寒冷的土地，會讓你期待到希臘或西班牙旅行的土地。披頭四來了又走，留下一個郊區逐漸繁華的王國。我兒時的英格蘭，一個純樸、渴望成長的土地。邁克和仙蒂的家鄉。

邁克和仙蒂，這是友善、可親的名字，一對令人羨慕尊敬的夫妻的名字。

邁克和仙蒂，一對夫妻的名字，在他們的家鄉，沒有人移居外地，沒有人離婚，沒有人老去，親人都長長久久地活著。

他穿上衣服，帶莉娜一起離去—也許他沒來得及穿上衣服，也許他就直接光溜溜地跳進他那輛華麗的轎車—當大家忙著打撈落水的侍者時，賓士車正發出尖銳的聲音快速逃離。

第二天早晨，我環視這棟冷清的屋子，我看見那些父親視為寶貝的瑣碎物品，不懂母親為什麼還沒有摔掉它們。那樣做雖然不足以消除她的仇恨，但至少可以消點氣。

母親是應該將父親那些爛東西除去，我不僅不會怪她，還會高興地幫她。

但是她什麼都沒動。

母親終於走出臥房，戴著蒼白的臉色、紅腫的眼睛，且還穿著昨晚的禮服，她堅稱自己一切都還好。我望著她走進她最喜愛的花園，我知道她準備毀了它。

她把一些已開花的陶瓷盆栽大力丟向牆壁，泥土碎片濺向四處。她又粗暴地用耙子、泥刀和手敲擊花壇，把她辛辛苦苦培養的花挖得滿地都是。

等我走到她身邊時，她還在用手拔除玫瑰花。我環住她的肩膀，緊緊抱住她，除非她停止顫抖，否則我不會放手。但她無法停止，她的身體因為過度的驚嚇、悲痛、憤怒而無法停止顫抖，我沒辦法幫她。我帶她走進空洞的屋子，關起所有的窗簾，想要把世界摒除在外。她還是無法靜止下來。

現在我終於有點明白人生的運轉，兒女轉變成父母，被保護者轉變成保護者。

「不要哭，」我勸她，就如我小時第一次在遊樂園打架時她告訴我的，「不要哭了。」

但是，我無法讓她停止哭泣，因為她的眼淚不只為她自己，還為「邁克和仙蒂」。

一個冷酷無情的人才會離開自己辛苦建立的家庭。我父親不是。軟弱，可能。自私，不用說。愚蠢，毫無疑問。可是，他絕對不是一個冷酷無情的人。至少，他還沒無情到可以輕易地把家庭從他的人生切除。當我出現在他租來的公寓門口，他看來很煩憂，他在煩惱還沒有真正結束的過去，以及還沒真正開始的另一個未來。

「你母親還好嗎？」

「猜猜看，你覺得她好嗎？」

「你還年輕，你不會懂。」他肯定地說。父親讓我進屋。

莉娜不在。但有屬於年輕女孩的衣服掛在暖氣管晾乾。

「懂什麼？懂你有了另一方面的需求？懂你可以在外面玩又不被抓到？懂你臨老想回頭抓住青春？到底要懂什麼？」

「懂婚姻關係會變質，即使是一樁好婚姻。激情會褪色，艾飛，真的。你必須決定你是否可以過一輩子沒有激情的生活。要喝杯茶嗎？這兒應該有茶壺的。」

公寓位於樹木林立的高級住宅區，它很小，而且屬於別人。屋裡油漆的顏色是別人選的，牆上的畫是用來滿足陌生人的品味。我就是無法想像父親會住在這裡，從任何角度來看，這都不是他的地方。這裡的每件東西都像租來的，隨時會被原主人收回，這公寓、傢俱、女孩，都像是向別人借來的。

「這要持續多久？」我問他，他還在找茶壺。「爸，不要管茶壺好嗎？你不再擁有一隻茶壺了，從現在開始，沒有茶壺了好嗎？」

「你在說些什麼？」

「你要在莉娜的地方待多久？」

「直到我們找到更合適的地方。」

「她多大？二十三？」

「快二十五。」

「比我還小。」

「她比實際年齡成熟。」

「我想也是。」

「你是什麼意思？」

我跌坐在皮沙發裡。父親一向不喜歡皮沙發。

「你不能只是跟她睡覺嗎？」我這麼問他，即使我很害怕他會開始描述他們那奧林匹克似的性生活。「難道不該是那樣嗎？我可以理解你為什麼迷戀她，可以理解她為什麼會看上你，一個年長、事業成功的男人。但你不該與她建立一個家的。爸，你瘋了。」

老爸在客廳裡走來走去。客廳通常是一間公寓裡最大的房間，但還是不夠大，他走沒幾步就得折返。他不斷相互搓揉雙手，我心底突然一陣刺痛，我替他難過。他沒資格玩這種遊戲，他沒辦法扮演一個無情的角色。

「這種事情有它自己的推動力。我曾經很努力去控制，有一陣子，我認為我是這世界上最幸福的人，完美的妻子加上完美的情人。」

「你完美的妻子要掐你的喉嚨。」

「但是，無法持續下去。」他沒聽見我的話，「無法持續，你不能什麼都要，你得做選擇。」他轉向我，用眼神祈求我的諒解，「每個男人不都是這樣嗎？一個妻子和一個情人？我們要安定、平靜的生活，但同時又要羅曼史、刺激、激情。難道兩個都要是錯了嗎？」

「因為太擠了。你要得太多了，你過多的需求會毀了別人的一生。」

「我無法控制自己愛上別人。艾飛，我並沒有計劃這麼做。」

「愛？幫我一個忙，請不要說那是愛。」

「那應該是什麼？」他生氣地說，「艾飛，對你母親，我很抱歉，真的。她發現的方式很可怕。但我要做我想做得事。」

「爸，聽我說，莉娜是個好女孩。但你沒注意到她吃東西時身體會搖擺舞動？她聽收音機時會跟著跳，即使是在吃早餐。她根本就還是個孩子。」

「那樣看起來很可愛呀。」

「算了吧！她年輕的可以當你的孫女。」

「年紀跟這沒什麼關係的。」

「如果莉娜跟你一樣大，如果莉娜已經六十歲，你還會愛她嗎？我不相信。再說，如果你是一個二十三歲的小伙子，靠學生貸款和漢堡店的打工過生活，我想她也不會看上你。」

「快二十五了。」

「你可以做些什麼來挽回的，向她道歉，請求她原諒你。人都會犯錯。你不能因為一個女人向你搖尾巴，你就丟棄你的婚姻。」

「我不能這樣做。我已經離開你的母親，為愛離開。對不起，艾飛，我有我的原則。」

我突然很想揍他。

「你在侮辱愛。」我想起母親的花園。「你羞辱了愛，你這個不可理喻的老傢伙，在你什麼都沒有時，一直有個人在背後支持你，現在你卻這樣對待她。不要跟我說什麼原則，好嗎？不要把自己想成什麼羅曼蒂克英雄，你不配。再說，你不是離開，你是落荒而逃。」

他停住。

「艾飛，對不起，但我的選擇是正確的。」

「喔，你做得是對的，是嗎？你早就知道在眾人面前被逮到泳褲只穿到膝上是聰明的舉動，是嗎？我告訴你，爸爸，不會有多少人認同的。」

「離開，我是對的，」他表情古怪地看著我，「你知道嗎，我們結婚時你母親已經懷你了。」

「我算得出來，不用多少數學頭腦。從結婚到我出生，中間只有五個月。」

「她懷孕了，那是為什麼我們會結婚。我愛她，但是我們之所以結婚，是因為你──那時

只能那麼做，我們別無選擇。你知道他們說什麼嗎?我的家人、朋友還有她的家人都說：『你已經玩夠了。』當時我沒說什麼，可是我一直在心裡懷疑，就這樣嗎，我的部份已經結束了嗎？」

「所以你認為你的人生現在才開始，是嗎？」

「我要和我想跟她睡覺的人住在一起，這有什麼錯?你是一個男人，應該試著瞭解這種感覺。大家都說，如果想跟她在一起就不想跟她做愛，如果想跟她做愛就不想跟她在一起。現在我知道那是錯誤的說法，因為從莉娜身上，我兩者都得到了。」

「但這些都是不真實的。你聽太多老唱片了，這不是Smokey Robinson的歌，爸，這是現實的生活。」

父親用可憐的眼光看著我。

「艾飛，不要跟我談現實生活。」他輕聲地說。我知道他再來要說什麼，我很快站起來準備離去，因為我不想聽，我要在他開口之前離開他租來的公寓。

「你甚至還愛著一個死去的人。」他說。

愛，沒有讓我成為更好的人。相反的，愛，讓我變得與世上的任何人相同。愛，讓我的視線只看得到一雙藍色的眼睛，一個怪怪的笑容，一個年輕的女人。

與蘿絲在一起不久後，我飛回倫敦一個禮拜，這是我離開英國後第一次返家。那是在認識蘿絲前就計劃好的旅程，無法取消，所以我一個人回家探望我的父母和奶奶。當時的我一點回家的心情都沒有，我的心留在另一個地方，我只想快點結束，快點回去香港，回到她身邊，回到蘿絲的身邊。

在回程的飛機上發生了一件嚴重的意外，和我隔著走道的中年男人突然呼吸急促，發出怪異的嘶啞聲，看起來快窒息的樣子。一開始我以為他是酒喝多了，當空服員跪在他兩旁，機長廣播問有沒有醫生在機上時，他很明顯是病了，很嚴重的病。

他們將他平放在我旁邊的走道上，近到我可以觸摸他的臉，兩個年輕的醫生跪在他兩側，扯開他的上衣，他們低聲問他話，就像牧師在同死去的人禱告。

我們不能直接前往香港了，那個人必須入院，所以我們改降哥本哈根，緊急救護人員會在機場接他下機。所有乘客都能理解更改行程的需要，即使大家得在哥本哈根等上幾個小時。機長向大家解釋說，原班機服務人員按飛行時數的規定不能再繼續飛行，得等另一組服務人員到達換手後才能繼續行程，為此我們等了四個小時！

每個人都能理解，除了我。

我恨那個生病的人，我不要更改行程讓他得到治療，我要機長把他跟行李箱放在一起，讓他自生自滅。這是很不好的想法。我可以感受到自己對他的憤怒，我不在乎他的死活，那與我無關，我只要他別阻礙我回香港，回到我心愛的女人身邊，回到我的生活，回到我這一生中最美好的日子。

愛，讓我變得自私。

愛，攪亂了我的心。

7

蘿絲在水底下很美。她早在來香港之前，就已經潛水好幾年了。她是個優秀的潛水員。

在水裡，我們是兩隻完全不同的動物。我是緊張型，老是在為維持中性浮力掙扎，不時調整BCD（浮力調節裝備）的氣量，沒辦法平穩地維持某個潛行深度一段時間。

但蘿絲可以。對她而言，水中的一切就像微笑那麼容易。

我老是不滿意我的裝備，老是在清理面鏡，神經質地檢查氣桶以確定有足夠的氧氣，又經常調整氧氣背筒，結果我往往耗氧過快，成為第一個需要回到海面的人。

我在水裡看起來一點兒也不舒適，可是蘿絲不同，她就像其他優秀的潛水者，海洋讓他們輕鬆愉悅。

蘿絲在英國時就已學會潛水。她在英格蘭南方黑冷的外海和英格蘭中部深水湖得到PADI[1]的潛水證，過程很辛苦。對她來說，亞洲溫暖的海水，看不到盡頭的珊瑚礁，以及為數眾多的魚群，就跟天堂一樣。

我是因為蘿絲才學潛水的。我們在菲律賓的波多格尼拉度蜜月時，我參加了密集訓練班，跟一位當地教練與兩位十二歲的台灣人一起在旅館的泳池裡學習如何在水底呼吸，在旅館後面的小潛水店學習基本的潛水理論，然後到外海進行實地練習。當我終於拿到潛水證時，蘿絲簡直高興瘋了。

我們有過美好的時光。有個週末，我們前往菲律賓的宿霧，那一次，我在短短的時間內用光我的氧氣，於是被迫回到水面，在水深五米處，我得做三分鐘安全停留以便讓體內過多的氮氣排出，蘿絲雖然有足夠的氧氣，她還是隨我停住，那三分鐘安全停留是我擁有過最好的潛水經歷。我們一起漂浮在陽光耀眼的淺水區，閃亮的珊瑚礁群像個百寶箱，一群群神仙魚環繞在我們身旁，而我們的氣泡則混合在一起，懶懶地飛向水面。

這只是其中一件蘿絲做得比我好太多的事，她可以很快融入宴會，與陌生人交談，她可以無重狀態漂浮在十五米下的南中國海。不論我多麼盡力，我就是做不到，潛水不在我的細胞裡。在潛水方面我們是如此地不同，現在想想，我們其實在很多方面都不一樣。

我用游的。

她用飛的。

一開始我就覺得有些不對。

一直到星期五晚上天氣都還不錯，尋常的菲律賓晚春氣候，但隔天早晨我們走到海邊時，藍天已經轉變成暗灰色，海浪上有白色的泡沫。

我們已穿好潛水衣，我拿著裝有面鏡、呼吸管、蛙鞋的黃色袋子，其他的潛水裝備則打算向潛水店租用。我看到蘿絲斜眼看著天空。

「我們可以待在旅館裡，天氣看來不是很好。」我建議。

「看來還可以，」她說，「雷蒙很有經驗。如果天氣不好，他不會帶我們出去。」

雷蒙是旅館的潛水教練，壯壯的菲律賓人，四十開外，是個冷靜中帶點權威的人。菲律賓有很多漂亮的珊瑚區，這同時意味著很多潛水區會有不在預期之內的海流，所以我們需要有經驗的潛水教練帶你出海。我們來過這家旅館幾次，每次都由雷蒙帶我們出海，他是個很好的教練。但這次他不在。

取代他的是一個瘦削的小伙子，不超過二十歲，比一般菲律賓人略高，他一身舊舊的潛水衣，肩膀處露出一個大洞。他正與兩個歐洲來的遊客嬉笑，那是一對穿泳衣、高高的金髮女郎，看起來很健康，我想是北歐來的。

「雷蒙在哪兒？」我問。

「他生病了，」他看我一下，馬上轉回去與那兩個金髮女郎聊天，「今天我帶。」

我看看蘿絲，她聳聳肩膀笑笑，那天她很想潛水。於是我們加入其他潛水者和一堆亂糟糟的氧氣筒，開始整理裝備，接著，船軋軋地開近海灘。

我選了一個氧氣筒、浮量控制器、呼吸調節器，把浮量控制器接上氧氣筒，把調節器套好在氧氣筒上。調節器的四條黑管纏繞在我的腳底，看起來像條八爪魚。

其中兩條管頭有咬嘴－黑色是自己用，黃色是給有需要的其他人用－另一條用來接出氣控制鈕，最後一條則是用來接浮量控制器。浮量控制器上有條小管用來放氣、入氣以維持懸浮狀態。最後我打開氧氣栓，嘶一聲，開始檢查氣的供應。

二一〇巴爾，滿筒。什麼都正常。但不知怎麼搞的，我就是覺得有什麼東西不對。以往準備裝備時，雷蒙都會在一旁觀察，建議我們使用多少磅，甚至會檢查到細小的裝備，並確定我們的檢驗方式是正確的。這是我喜歡雷蒙的原因。我需要這一切。

雷蒙總是強調安全第一。海面風漸強，我想，對那個瘦削的小伙子而言，最重要的是那對挪威的大胸脯。

我站在船尾，船前後顛簸，我的胃也跟著動。因為我穿著蛙鞋，所以站得很穩，只是不便走動。船頭在波浪起伏的海水中上下振動，看來有點脆弱。

除了我，每個人都已經跳入水裡，瘦高的潛水教練，挪威來的女孩，一對年輕的日本夫婦，皺皺的德國佬，蘿絲則拉開遮住半邊臉的面鏡看著我。他們全在等我。

雨下的很大。這裡離海岸不遠，大約二十分鐘的船程。但是雨霧太厚，我看不見岸。黑雲翻滾湧進，雷聲隆隆，閃電從地平線竄起，雨斜打下來。我一手抓住面鏡，一手扶著氧氣筒，跨出船。

我跳進水裡，沉入又浮出水面。浪比我想像中大，我不小心喝了一大口海水，趕緊吐出來。

面鏡一下子就起霧了，我應該吐口水在面鏡上以防止再生霧氣。瘦高的潛水教練召集所有人，簡介潛水行程和入水後注意事項。我拉掉面鏡，把它浸入水裡沖洗。

蘿絲游到我旁邊，「你還好吧？」

「我在想雷蒙。」不太愉快的回答。

「我也是，我們得走了。」

我戴回面鏡，其他人早就潛入海裡了。我塞入咬嘴，面向蘿絲，她大拇指向下，表示要下去了，我回她同樣的手勢。我放出一些空氣，吐氣，很快往下沉。

我可以隱約看見船身，以及其他一起潛水的人，潛水教練則在我們遠遠的下方。這時，我的鼻樑開始劇痛，我沉得太急，因壓力改變太快而感到不適。

蘿絲在我旁邊，手在胸前搖擺，表示慢慢來，我往上升點，劇痛馬上消失。

我用大拇指和食指圈成圈圈，表示我沒問題了，用另一隻手壓壓鼻子，再往下沉。這次沒什麼問題，慢慢下沉，鼻樑不再覺得像被老虎鉗夾住般痛苦。

視線不是很好，看不見往常可見的陽光和成群的海洋生物，今天只見黑黑渾濁的水，少數的魚在灰暗的水裡穿梭，給黑黑的水域一點亮麗色彩。我突然驚覺，蘿絲和我已經脫離其他人。

蘿絲在我身旁，四面觀看，但我們看不到其他人。他們丟下我們了。海水滲入我的面鏡，我斜仰起頭：拉回面鏡由鼻子呼出些氣，面鏡就又清楚了。蘿絲看著我，擺動拇指。

哪個方向？

我觀察四周，期盼在黑暗中看到人的影像。但什麼也沒有。不論望向哪個方位，都沒有人影。我盯著船影，遠在上方，好似正在漂離我們。或許，是我們正在漂離它。蘿絲指向右邊。

往那邊去。

我搖搖頭，她瘋了？她要往更外海去。我舉起拇指朝她反方向指，指向岸邊—我認為的岸邊。

去那邊。

她搖搖頭，敲敲她手腕上的指南針。我用手指表示不太確定。

好吧。

她帶我一起漂入黑暗中。我的嘴巴因緊張而乾燥，我看看我的儀錶，還有很多氧氣。

突然，我們眼前出現一艘黑黑灰灰的棄船停在一堆超過五十年的珊瑚礁群裡。

一艘二次大戰的日本戰船。

我們驚訝、得意地看看對方，這就是我們潛水的理由。我們還是不見其他人，或許他們在棄船的另一邊。目前的能見度只容許我們看到一小部分船身，我們已經非常滿意了。

船坐在深水裡，但上層和船橋在我們可接近的深度。我們漂過甲板，我的心忽然冰冷下來。船橋上破裂的窗戶就像空空的眼洞，甲板上冷冷的木頭就像乾掉的人骨。有人在這裡死去。

我們是在墳場。

我們不應該停留在這裡。蘿絲指指窗戶破洞，黑黑的無底洞，我用力搖搖頭。她瘋了？我敲敲儀錶，表示該上去了。

蘿絲在裂口上方徘徊，有時兩臂交叉胸前。她突然往後退，因為有一隻大海龜從船艙游出，差點撞上她。她看看我，眼神滿是問號，我只是笑笑。

那隻大海龜的頭像千歲人頭，但游起水來體態輕盈。硬殼下的四隻腳像魔術划槳在沉船四周滑行，自認為是非常美麗的生物。以某個角度來看，它是。所以我一點兒也不奇怪蘿絲會隨牠游入冷水區域，可是在海裡，深度的落差遠比我們目測的大。

那隻大海龜突然轉頭面對蘿絲，大眼眨來眨去，害羞的成份多於警告。蘿絲輕摸牠的硬殼，轉身對我搖搖頭，她興奮極了。就在這時，有股暗流撞上我們。

感覺就像被一隻大手抓住丟入隧道，流向世界的底端。

蘿絲、海龜、棄船都不見了。我無法控制自己，一直流入冰冷的黑水裡。我試著攀住兩旁的珊瑚礁，直到我的腳又重又累，這個下降流就像一個斷落的陷阱，我真的以為我完了。

我的臉和身體平打在珊瑚礁上，呼吸調節器被打離我的嘴巴，面鏡破裂。我一把抓住尖銳如刮鬍刀的珊瑚，緊緊地攀住它。我喝了一大口海水，透過破裂的面鏡摸索我的呼吸調節器，用力把它套回嘴巴，我嚥了一大口氣。我的嘴巴很乾，非常的乾。半邊的潛水衣都撕裂了。我的臀部很痛。

我四下尋找蘿絲，但找不到。我查看儀表，深度四十米，氧氣只剩下三十巴爾。但我不能在這時浮上海面，蘿絲可能會找我，她一定會找我的。

我看到她了，她攀在一叢死掉的珊瑚礁上，身體因水流而成橫躺姿勢。她的面鏡已經被打掉了，兩眼幾乎全閉。她朝我游來，一手血淋淋的攀住珊瑚礁，一手在胸前擺動。

冷靜下來，冷靜下來。

我點點頭，連笑帶淚。我開始往上升，她抓住我的浮量控制器，用我從沒想到的力氣將我往下拉。因為如果從這深度上升太快，很容易會引發潛水夫病，那是會危及生命的。但是，我沒辦法控制往上升的推力，我就是沒辦法。

蘿絲指指我的腰部，我的鉛帶已經掉了。她一手抓著我，另一手則急急地敲破一塊珊瑚礁石塞入我的手以增加我的重量。但我的手割傷的很厲害，我握不住那塊珊瑚礁石。

我再看看儀表，沒氧氣了。蘿絲將她的備用咬嘴強迫塞入我的嘴中。但很快地，她的也沒了。我們急促喘氣，呼吸越來越困難。

蘿絲摸摸我的頭。

然後我們鬆手離開珊瑚礁。

我朝著上方有亮光的方向前去，而蘿絲，卻像太空人的繫帶被剪斷似的，漂向無盡的黑暗。

我眼睜睜地看著她從我身旁離去，我的面鏡裡充滿眼淚和鼻血，我想叫她的名字，可是出不了聲。

她是我活著的理由。

注釋

1 專業潛水教練協會，它是全球最大的潛水員訓練組織。

8

我會注意到她是因為她的穿著。

她的黑色風衣沒扣，底下是細肩帶背心，下半身是短裙，腳上是毛面的細高跟鞋。她像個俱樂部女郎。她的妝很濃，膚色白皙，金髮，穿著黑色褲襪，還帶金腳鍊。

她很漂亮，但看起來疲乏，像落魄的選美皇后。

我到辦公室時她剛好在裡面。平常我到時，辦公室裡不會有人，但今天，一個美麗、疲倦的女人坐在唯一的扶手椅上，正埋首讀一本舊舊的平裝書。

我有點奇怪的看著她。很少老師穿扮成這個樣子。

「你讀過這本書嗎？」她抬頭問我。

她說話的口音可以明顯聽出是倫敦工人出身，一定是來自艾塞克斯。倫敦人講話已不帶那種口音了。

「哪本書？」

「《心是寂寞的獵人》，」她回答，「卡遜．麥古萊斯。二十三歲時寫的。寫一個年輕女孩，米克，二次大戰時在喬治亞成長的故事。」

「我知道。描述寂寞。我以前教過。」

「真的嗎？」畫得很濃的眼睛睜得大大的，好奇地看著我。

「是的，教一群十五歲、找不到心的男孩。」

「你真的教過這本書。」

「完全正確。」

「但是你讀過嗎？」

「什麼意思？」

「我的意思是，你喜歡這本書嗎？有什麼特別的感想嗎？」

「嗯，我認為故事佈局有點─」

「我認為是在描述人生如何欺騙一個人。」

「嗯，書的主題─」

「就說米克吧，開頭她充滿夢想、計劃，她想到各處旅行，她想成為音樂家，她想要離開家鄉。對什麼都很有興緻。後來呢，她被騙了。」

「被騙了？」

「是的，被騙了。故事結尾時她多大？十六歲？十五歲？因為家裡窮，她在吾爾沃斯工作。她終於覺悟她的夢想沒有一個會實現。她被騙了。」她搖頭笑笑，「哇，你教過這本書，不可思議。」

「我叫艾飛。」

她站了起來，「潔姬・戴。」

接下來她做了些動作。我知道她不是老師。

她走到角落的小櫃子，摸索一會兒，然後戴上黃色塑膠手套。一個教英文的老師不需要戴手套。

接下來，她套上一件藍色工作服，有點像我母親在尼爾森曼德拉高中廚房裡穿的工作服。然後，她站在那兒，一手拿著水桶，一手拿著清潔劑。

就像克拉克變成超人。

她變成超人清潔女工。

他們把我從海裡拉上船，給我氧氣。

我記得有人用菲律賓話對著對講機大聲吼叫，船的引擎快速轉動。有人跟我說些有關在宿霧的加壓艙的事。他們得送我去加壓艙，因為我上升得太快。我的身體和血液裡含有過量的氮，雖然我感覺不出來，但我鐵定會得潛水夫病。

我還記得我仰躺在甲板上，氧氣罩蓋在我的嘴部，雨掉在我的臉上。我試著坐起來，要告訴他們等蘿絲，但一陣劇痛讓我昏眩，我從來不知道可以痛成這樣。我感到暈眩噁心，全身關節刺痛，尤其是頸部、肩膀和背部，我最害怕的是我的視覺，我怕我會瞎掉。在到宿霧的路上，我全程閉著雙眼，席捲而來的黑暗讓我害怕。

我在碼頭被綁上擔架送進救護車，那時我的腳已經痲痺不能動彈。我的頭很痛，聽到有人在說氣體栓塞，所以兩腿會沒有感覺。上帝啊，氣體栓塞！我一直閉著眼睛，不斷在心裡禱告。即使我已經失去我最在乎的人，我還是不要死去。我很害怕。

因為塞車，救護車行駛得很慢，警鈴一直大聲吼叫。到達醫院後，我被推進擁擠的走廊，聽見菲律賓人用英文緊張地高聲談論。最後我停在一個冰冷的像地下古墓的地方，我聽見金屬門打開，然後我被推進去，門關起來，這裡很像銀行的金庫。這就是加壓艙。

有人在我旁邊，一個女人，一個中年菲律賓人。她握住我的手，輕摸我的臉，用標準英文說雖然我受了重傷，但是一切都會好轉。她說她會一直陪著我。

加壓艙裡黑暗潮濕。我怎麼知道我是不是還活著，會不會弄錯了。我記得我一直想著或許我已經死了。然後，經過一段很長的時間，我看見加壓艙裡有陰影，開始感覺腿麻麻的。

那個握著我的手女人說我的情況很好，但是必須注射一劑類固醇以阻止腦下氣泡繼續腫大。她很勉強地笑說她以前只打過橘子。有人從加壓艙的小窗戶觀察我的情況，用菲律賓語告訴她下一步該做什麼，聽起來有點緊張—雖然菲律賓塔加洛語一向給人激動、緊張的感覺。

毫無疑問，只打過橘子的女人的手，不是我的問題，比起那些緊張、期待的說話聲，打針算不得什麼。對一個喪失知覺的人而言，打針就像被蜜蜂叮一口。

她陪著我，直到我醒來。她不斷地安慰我，讓我很想哭。我的眼睛還是很酸痛，但視覺慢慢在恢復。等我終於看得清楚，我看到一個嬌小、與我母親年紀相仿的女人。

在加壓艙的前十個小時，我們都要戴特製的氧氣面罩。每次我需要做深呼吸時，她都會握緊我的手。那個救我性命的女人，一直在提醒我要記得呼吸。

我們總共在裡面待了兩天兩夜，然後病痛漸漸離開我，身體漸漸好轉。但有時我會覺得他們沒有完全醫好我，這個病會永遠和我在一起。

我無法想像，原來失去一個人可以在你的生命裡留下這麼大的一個洞，一個不只像一個人那麼大的洞。

這個洞，像整個世界這麼大。

我真的應該多跟朋友出去，不是說常常，常常出去就太快了，永遠都是太快。我應該多出去玩玩的。

一千年之後，我就會準備好，準備好去俱樂部玩。我會這樣寫在日記裡。男人有他的需求，女人也是。

沒和賈思碰面的晚上，我會待在自己的房間裡，用小小的音響聽辛納屈的歌。我常放五〇年代Capitol出的唱片，有時則是六〇、七〇年代Reprise Records出的唱片。

來說說音樂吧。我其實挺喜歡快節奏的歌，像〈Come Fly With Me〉、〈They Can't Take That Away From Me〉、〈A Swinging Affair!〉和〈Songs For Swinging Lovers!〉。但我最喜歡的其實是描述失去的愛情的歌，例如〈In the Wee Small Hours〉、〈Angel Eyes〉、〈One For My Baby〉、〈Night and Day〉、〈My Funny Valentine〉。

聽辛納屈的歌會讓我覺得，這世界上不是只有我在第二天早晨醒來，發現世界已經不一樣了。聽他的歌讓我覺得，我不是那麼孤單。聽他的歌讓我覺得，我是個有感情的人。

辛納屈有張唱片《Where Are You? No One Cares, Only the Lonely》，那是張想念女人的唱片。嬉皮以為自己是概念唱片的創始人，但辛納屈在五〇年代就已經開始了。如果有需要，辛納屈可以整夜跟你講話。現在，我就有這個需要。

我需要這種音樂，就像男人需要食物和足球。辛納屈給我一條路往前走，鼓勵我繼續活下去。在辛納屈的歌曲裡，當一段愛情消失，總會有另一段愛情來安慰你。在他的歌曲裡，愛情就像公共汽車，走了一輛沒關係，因為幾分鐘之後，就會有另一輛前來。

但是，我知道辛納屈並不這樣想。我看過所有有關他的報導，他從沒忘記艾娃・加德納，她一直在他的心裡。她是他會在撕毀她的照片後，又撿回黏好的女人。如果辛納屈從沒忘記艾娃，為什麼我必須忘記蘿絲？

音樂是無止盡的安慰。辛納屈讓我的思念變得高尚且普遍，他更賦予痛苦某種意義。但實際上呢，什麼都不是。事實上，思念一個人，就像下地獄般痛苦。

然而，辛納屈在為愛悲傷，為愛慶賀時，我幾乎可以聞到老賀本和古風刮鬍水的味道，回到爺爺還抱著我坐他腿上的童年，那時的我，是世界之王。那時，我愛的每一個人都會一直在我身邊。

母親應付父親離家的方式是正常生活。她早晨起來，去尼爾森曼德拉高中廚房上班，然後帶著笑容回家，高興地談論她的孩子。她也開始整理花園，至少清理那老傢伙走後她因為憤怒而造成的紊亂。這就是我母親回應災難的方法。

她不是不在乎，她只是不願正視它。

我則繼續我的生活：上班，在唐人街遊盪，聽辛納屈的歌。有時我會夢想著，有一天，父親會帶束花，抱歉地跪在母親面前請求她的原諒。但是，這個情景並未發生。

我不明白他怎麼和莉娜用那淺薄的基礎建立一個家庭。我無法理解，連茶壺都沒有的愛情如何維繫下去。我深信，有一天，他會無法忍受她吃高纖維早餐時身體搖擺的模樣。

但我開始覺悟到，即使他們愛的小窩不再，他也不會回到這個家來。

我的父母仍會通電話。我不想知道他們的談話內容，我認為對父母間的一些事，還是要保持距離比較好。他們之間的對話可說一成不變，他打電話找她，當他說到什麼時—可能是祈求她的諒解？詢問何時可以回來拿唱片？是否可以借茶壺？—她會沉默不回答。我不是很清楚她都說些什麼，但我可以聽得出來，她很努力地不將她的悲痛與憤怒表現在她說話的口氣上。

這怎麼可能。

她裝作這些事在她意料之中，她假裝自己很了解我的父親，她知道這些突發的鉅變，是她結婚半世紀的人會做出來的事。但這不是真的。

他在同一城市另一角落的生活不是她能想像得到的。她其實不清楚事情為什麼會演變成這個樣子。這個像世界般大的洞，正在她的人生中成型。

每當她放下電話，她會笑笑，那是一個保護層，一個防彈衣似的保護層。

有一個晚上，母親和我早早去上海龍吃晚餐。在我們家，這是很少見的事。除了旅行、渡假的時候，我們很少一起在外面用餐。這個在餐廳工作、每天要餵飽一千個學生的女人，喜歡待在自己家烹調食物。

自從父親離開，她就吃得很少。我很擔心，她原本就瘦，現在則更瘦，她的眼睛下陷，神情憔悴。她睡不好，我常在深夜聽著她在樓下走來走去，因為我自己也睡不好，我有我自己的憂慮。我們出去用餐，是因為再也沒有家庭晚餐需要準備，因為家已經不在了。

母親第一眼看到上海龍時顯得很高興。

「親愛的，很好，」她以稱羨的眼光看著那些瓶子裡怪異的根，有點像糟透了的科學實驗。我這才注意到，原來上海龍的每個黑暗角落都是這些東西，「真的很棒。」

喬伊絲從廚房走出來，她看著我母親。

「喜歡嗎？」

「太可愛了。」

「妳看得懂這些東西嗎？」

母親看著瓶子。「那是人參，是不是？真的植物，不是在店裡買的膠囊或藥片。」

喬伊絲笑笑，讚賞地看著我母親，「是人參，」她說，「瞞不過妳的眼睛，是人參。

是身體疲倦或悲傷時的補藥。」

「我現在倒是需要服用。」母親笑著說。我很想過去擁抱她。

「請。」喬伊絲舉手指向空空的餐廳，要我們選一張桌子坐下。

上海龍的晚間六點與午夜不一樣，現在沒有醉漢。除了我和母親，沒有別的客人。

我們吃北京烤鴉，母親拿筷子的技巧比我想像中好，當我們用薄餅夾蔥、黃瓜、醬料和鴉肉片時，張家人也在吃晚餐，他們坐在外賣區裡唯一沒鋪白桌布的桌子用餐。

他們全家都在。喬治用一個大湯匙將一大碗湯麵分盛六個小碗。孫子，孫女分坐在他的兩旁，兩個小孩熟練地使用過大的筷子。孩子的父親哈勒則大聲吃麵，好像要趕在幾分鐘內吃完的樣子。媳婦桃樂絲吃得比較慢，她的臉太靠近碗，導致眼鏡片上都是霧氣。喬伊絲一邊用廣東話對著所有人吼叫，一邊還得來看看我們，確定我們不需要其他的東西。

我很羨慕張家。我羨慕他們親密的關係，他們的歸屬感，以及他們沒有破裂的家庭生活。他們讓我感到悲傷，不，不能說是悲傷，應該說是渴望。我過去也是這樣一個家庭的一份子。

我們結帳時，張家已經吃完飯散去。喬治跟哈勒回到廚房，孩子和桃樂絲回去樓上公寓，留下喬伊絲迎接晚間的人潮。

當我們要離開時，喬伊絲塞給我母親一個小牛皮紙袋，我知道那裡面裝有可以幫助我母親的東西，母親的世界沒有一樣是沒破碎的。

「送妳的。」喬伊絲說。

蘿絲看上我什麼？她可以從她的同事朋友裡選任何一個人，她為什麼選我？

因為我是一個好人。這聽起來好像沒什麼 —— 在與玩賽車的男人跑掉之前，女人都這樣說。但蘿絲真的要一個好人，她選了我。

老實說，我以前是個好人。我會愛上跟我做愛的女人。雖然對做愛這件事來說，愛並不重要，有時也不適合，但我就是沒辦法和一個沒感情的人做愛。單純地做愛這件許多年輕男人不用思考就能做得事，我卻做不到。因為我聽太多辛納屈的歌了，因為我想穿著薄紗飛上月球，因為我一直在尋找一個對的人。

她在我身上看見一些東西，一些值得她愛的東西。

但是美好的事物總是有限度，就像錢財和青春，最後終會不經意地溜走。看看現在的我，我跟以前根本不能比。

我並不想放棄人生、愛情以及其他那些東西，可是我沒辦法控制。因為人生、愛情和其他那些東西，不知藏匿到哪裡去了。

我失去了信心，我不知道怎麼把它找回來。因為，我還是很思念一個人，我想我永遠都會這麼思念她。

蘿絲，這樣可以嗎？我可以這樣思念妳嗎？

9

應該屬於安靜的下午時段，私人俱樂部卻擠滿一些還在喝酒的男男女女，男的看來軟弱，女的看來強硬，他們正在討論一個永遠不會實現的個案。

就像我的父親。

如果有人問我，我會說我父親的新愛情就是一個永遠不會得到允許的新個案。我老爸和他的女朋友有時會向我抱怨，抱怨他們遇到的新瓶頸。這只是個開端。

在他的蘇活區俱樂部裡，「希望你會來參加我們的婚禮。」他說。

我躲在礦泉水瓶後看著他。我不確定他是故意要挑起我的憤怒，還是他發瘋了。

「誰的婚禮？」

「我的。我和莉娜的婚禮。」

「喔，你離婚了嗎？」

「還沒有。」

「那你找好辦離婚的律師？」

「也還沒有。」

「嗯，那你不認為有點過早了嗎？開始發放印花請帖，預定婚禮蛋糕稍為早了點嗎？」

他身體微向前傾，慎重地對我說：「我只是要讓你知道，我們是真心的。而你似乎認為這是一件可笑的事。」

「爸爸，你假裝成一個年輕男子，這不好笑嗎？」

「如果我要一個和我同年紀的女人，那才好笑。為什麼我得找同年紀的女人？」

「你是指你太太？」

「艾飛，我愛你的母親。過去是，未來也永遠是。我會照顧她的。」

「全心全意是嗎？」

「但是我們之間已經沒有激情，我們之間已經死了。你不相信是因為你還沒有機會去發現。」

「是喔。」

「艾飛，事情發生後我很難過，你知道的，我愛蘿絲。」

這倒是實話，他愛蘿絲。在蘿絲的葬禮中，他哭得不能自己，他的心幾乎碎了。

「艾飛，激情會褪色，它會轉變成別的感情，像友誼、情義、習慣等等。對某些人而言，那就夠了。但對另一些人而言，那是不夠的。」

我不想聽他講下去，於是招手要服務生結帳。他堅持要付錢，真是愛充闊。

我們走在街上，他將一隻手放在我肩膀上，我知道他在祈求我的諒解，雖然我無法給予同樣的回應，但我愛他。他永遠是我的父親，沒有人可以替代他。我跟他是分不開的。

「我只要求再一次的幸福，錯了嗎？」

我看著他消失在蘇活區的小巷裡，他比其他在這裡遊蕩的人足足大了三十歲，那些人喝著特調咖啡，彼此大眼瞪小眼，就這麼消磨整個下午。那些有時間可以浪費的年輕人，我為父親感到心酸。

再一次，我想。

他難道不知道？不懂？我的父親到底在想什麼？人的一生當中，幸福只會出現一次！

葬禮安排的不好。

我參加過數次葬禮，沒有一次是像這次這樣。我參加過爺爺、外公、外婆的葬禮，沒有一個像這次這樣。

太年輕了。不只是她，所有送葬、哀悼的人也都太年輕了，他們大多只有二十幾歲，是同學、鄰居、大學室友以及同事。不少人看來是第一次參加葬禮，不少人或許連祖父母的葬禮都還沒有參加過，不少人失去過的可能只有金魚或天竺鼠。他們都還在震驚中，連領結都沒有，可想而知，他們有多年輕。他們不曉得要穿什麼，要說什麼，要做什麼樣的表示。一切都發生的太快，太快了，我能了解他們的感受。

我與蘿絲的父母一起坐在車子的前排，我找不到任何話來安慰他們，因為根本沒有話可以安慰他們。事實上，更糟的是，我們之間已經失去了連結，我們已經是陌生人了，我們已經不知不覺地從對方的生活中消失了，因為是前車紅木棺材裡的人給予我們連結的。

紅木棺材上有紅玫瑰和三個花環，蘿絲的父母，我，我的父母各一個。一個花環，一份悲傷。

送葬行列到達山丘上的小教堂，山腳下的艾塞克斯一片黃，叫油菜園，多難聽的名字，不能叫別的名字嗎？日後每當我看到那些四月間開滿黃花的山坡，就不能不想到埋葬蘿絲的日子。

一位不認識蘿絲的牧師述說她的優點。之前，他已經和蘿絲的家人、朋友以及我談過，他說得很好，他談到蘿絲的幽默，也談到她對生命的熱愛。但對這些，我一點感覺也沒有。直到賈思走上台階，站在方型底坐的下方，我才開始有感覺。

亨利・史考特・荷蘭（Canon Henry Scott Holland）說：「死不算什麼，只是溜去下一個房間，我是我，你是你，我們以前相互之間是什麼，以後也還是。」

我勉強撐住自己，因為蘿絲的父母情況比我更糟糕，這對沉默的男人和善良的女人是多麼為他們當律師的女兒感到驕傲，這對我曾經一起度過聖誕節，修養高尚，以後不會再碰面的男人和女人。我撐住自己，因為如果我的悲傷大過他們，對他們是一種侮辱。他們正在做一件最悲慘的事：埋葬自己的孩子。

用我熟悉的名字叫我，」賈思說，「用一慣的方式跟我講話。不要改變腔調，不要一本正經，不要悲傷。笑，就像我們曾經一起喜歡開些小玩笑。玩、笑、想想我。為我禱告。

埋葬一個人，怎麼做都不會覺得安慰。賈思做得很好。但這個黑色的日子早來了五十年，違反了自然法則。我試著聽進所聽到的話，試著告訴自己她父母應該比我悲傷，但是，我能想到的只是：我要我的妻子。

讓我的名字像以前一樣永遠是一個家裡談論的尋常字眼。讓它被提到時沒有特殊的感覺，沒有靈魂似的陰影。人生就是人生，現在跟以往沒什麼不同——是一個割不斷的延續。死，只不過是件不足取的意外，為什麼我就應該受到離久情疏的對待？我只不過是在等待你，在一個時段，在不遠的地方，在角落等你。一切都很好。

當我跟隨著棺木從教堂走出來時，所有的眼睛都看著我，我可以感受到我不需要的同情和憐憫。那是很糟的時刻，我勉強控制住自己的情緒。另一個悲傷的時刻是在墳墓旁，蘿絲的父母艱難地控制自己的情緒，她的一個老朋友卻忍不住失控，但我仍極力控制自己。

但當喪禮的主持人——因為沒有負責覆埋棺木的人在現場——拉我到一旁問我花環要一起埋葬還是要留在墳墓上時，我終於崩潰。

「跟她在一起，」我說，「都跟她埋葬在一起，」我止不住我的淚水。

我的悲慟，不是因為自己，不是她的父母，不是蘿絲，都不是。而是，我們永遠不會出生的孩子。

我每回進奶奶的公寓都會受到一點衝擊。她的公寓是一個小小盒子，最基本的裝飾，乳白色牆壁，充滿特意的空洞。我想，知名藝術家戴米・赫斯特看了她的公寓一定會發狂，然後將她砍成兩半放入瓶子裡當標本。

不是她不想趕上現代裝潢時尚，她早在幾年前就對她自己住了五十年的房子的樓梯感到很吃力，就是《有橘子的聖誕節》中描述的、在倫敦東區五絃琴的那棟房子，所以搬到這間社會局安排的白色公寓。她拒絕跟我父母一起住。

「親愛的，我很在意我個人的自由空間。」她這樣告訴我。

電視聲音被轉得很小，正在播放辛納屈的《It's Sinatra at the Sands with Count Basie and the Orchestra》，那是法蘭克最好的現場演唱專輯。我認為奶奶對音樂其實並不是那麼有興趣，她只是習慣性地聽辛納屈的唱片，因為那可以讓她想起我的祖父。

在所有的紀念品中，奶奶最喜歡微笑的西班牙驢和斜眼妖精，壁爐上擺著許多家人照片：我和蘿絲結婚照，我小時候的照片，我嬰兒時期的照片，我父母的結婚照，以及她自己的結婚照。然而，縱使有這麼有生命的照片，白色公寓還是如此固執地不相干。奶奶只是沒有剩餘的歲月來反映她個人的喜好，就像她對待以前那個家一樣。我看著她在廚房裡走來走去，為我燒水沖茶。她從來不准我幫忙，好像我是客人，我想她永遠都不會讓我幫忙的。

「他來我這兒，」她說，「昨天，帶著他的摩登女人。」

說不出為什麼，我愣在那兒。。

「我爸爸？」

她笑著點點頭，「跟她，他的摩登女人。」

「他帶莉娜來?來這裡?」

「他的摩登女人，他的妓女。」

我很高興奶奶在我們這個破碎的小家庭中，並沒有站在兒子那一邊。她依舊每星期日到家裡午餐，我或是媽媽則每個禮拜送一袋日用品和食物到她的白色公寓。即使沒什麼重要的事可講，我們還是每天通電話。我們都假裝那個小家庭還是跟以前一樣，我其實還挺喜歡這樣的。她對莉娜的一些批評讓我笑不起來。

「妳以前喜歡她，」我說，「我是指莉娜，妳認為她不錯。」

她哼一聲，「她年輕的可以當他女兒了，他們想幹什麼?生小孩嗎?」她又再哼了一聲，「他抱不動的，老山羊。你要小烤餅嗎?」

「不用，奶奶。」

「巧克力或是奶油?」

「不用，奶奶。」

「我裝了一些，如果你改變心意的話。」她說。「那個婚姻在她最後一次流產後就不太對勁了，你知道的，流產。如果在茶裡浸一下就會軟點兒。加糖嗎?我都記不得了。」她搖頭，笑得很開心，「很抱歉，艾飛，都是我這老人痴呆症。」

「他來做什麼?」我問。我幫她把茶和小烤餅推到面對電視的矮桌，她不介意我幫這一點小忙。「我的意思是，妳是他的母親，他當然想看望妳，但是，他想做什麼?」

「來解釋，來解釋所有的事情。他帶她來，真厚臉皮，坐在那兒手拉著手，像一對戀愛中的情侶。我說——我家裡沒這些事，沒這種手拉手的事。他們帶來一盒點心，她伸手先拿草莓，要命喔，他知道我愛吃草莓，我也只能吃那些軟的食物。」

我不敢相信奶奶會擺臉色給她兒子和兒子的女朋友看。我的奶奶一向有無限的容忍力，她對我們家的一些奇怪現象，例如女傭、運動器材、外國食物和暢銷書等等，表現得很自在，她只會無所謂的笑笑。

但是在她家，則有她的規則，你得遵守。

「他說他愛她。」

「男人會說很多話，你不能聽男人的話，男人會用任何話來得到他們想得到的東西。」

「他說他不會回來。」

「如果是我，我不會讓他回來的，如果他回來，我會將他踢出去。如果我是你媽，我會期望他回家，以便讓我有把他踢出去的機會，我是說真的。我就知道事情有些不對。太荒謬了。」

荒謬是奶奶的口頭禪。

「我擔心我媽。」

「他真令人噁心。」

噁心是另一個口頭禪。

「她完全失去方向，但她假裝自己沒有，她不知道如何面對自己，她在他身上花了太多精力。」

奶奶已經沒在聽我說什麼了。她關掉辛納屈的音樂，用力按電視搖控器上的無聲鍵，然後從餅干盒裡拿出印有蘇格蘭風笛手的樂透彩券，很專心地看著電視開獎主持人報出的號碼。

奶奶很樂意跟我討論通姦、流產、摩登女人。只要不跟全國樂透開獎撞在一起。

10

每天早晨在九龍公園、維多利亞公園、遮打公園都會看到一群中國老人在晨霧裡舞動。但我從來沒放在心上，因為從那緩慢的芭蕾舞動作中，我看不到任何美感或意義。他們年紀那麼大，我這麼年輕，他們能教我什麼。

我看他們做那種慢動作運動看了兩年，一直認為那不過是香港的背景之一。對我來說，太極拳就和高陞街上賣的無名藥草、荷李活道上廟宇的薰煙味，高樓陽台上擠滿的盆栽、雙福語言學校廣東同事偶爾談論的風水，以及每年八月街上燒給餓鬼的紙錢般，毫無意義。

這些不過是香港風景明信片上的圖案，唯一的功用是提醒我離家很遠。

但是現在，當我氣喘噓噓地在海貝利地尋找一種生存下去的方式時，喬治張的古老太極拳突然有了涵意。

有時他是單獨一人，有時他會有一、二個學生—如果能說他們是學生的話—那些長頭髮的小子，帶著約翰·藍儂式鏡框，留著不具侵略性的髮型的男人。他們和喬治張是同一類的人，這些人與生俱來就是如此。但是，我很慶幸他們不會維持很久。

我比較喜歡看他獨自打太極拳。

他通常是在一大清早打太極拳，那是整座城市開始忙碌之前的短暫時間。那時，喜愛夜間活動的人終於回家睡覺，而喜愛晨跑的人以及做事積極、早起賺六位數子的蟲兒，則還沒開始動工。那時，唯一的吵雜聲是從遠遠的霍洛偉街傳來的貨車急駛聲。這段時間不會持續太久，但是喬治張總是緩慢地舞動，彷彿擁有全世界的時間。

他擺動的時候，手掌和手臂有如柔順的翅膀，毫無使力地慢慢推出，拉進，舉高，放下。當他把身體重心從一腳換到另一腳時，背會保持一直線，頭則抬起，從下半脊椎部份到頭部成一直線。

我不太知道如何形容他周圍的氣氛。剛開始，我以為是寧靜，但後來發現不只是這樣，它是沉著穩定，一種平和與力量的結合。

他的臉部表情十分平靜、專注、沉著。他的上半身很放鬆，而且可以一直保持放鬆，也許這是他引起我注意的原因。我從未看過一個人可以這麼放鬆自己。他練完之後，我上前對他說：

「那天晚上，謝謝你。」

他看我一眼，認出是我。

「朋友的鼻子還好嗎？」

「還貼繃帶。你說得很對，推回正位，容易復合。」

「喔，那好。」

「我沒告訴過你，我在香港待過一段時間，我才回倫敦不久。」

他再度抬頭看我，等我繼續說。

「兩年，我是老師，在語言學校教英語，然後在那裡結婚。」

他點點頭，應該是贊同吧。「香港女孩？」

「英國女孩。」

我沒有告訴他有關蘿絲的事。我平時不太說這些，我就是不想說。根據英國的傳統，我們不對陌生人訴說心靈深處的傷痛。不過，在我離開的那段期間，事情似乎有點改變，就像我父親會突然變成洛・史都華般，現在的英國人會談論他們的感受。

也許黛安娜要負點責任，也許她說服了我們，將我們禁慾、僵直的上唇轉換成感情豐富的柔軟下唇。或許，大氣層的破洞不只改變了天氣，也改變了我們的性情。這個國家的確已經改變。

現今的問題不是教導英國人開口談論他們的感受，而是教導他們適時地閉嘴。

「在香港公園裡，我看過很多人打太極拳。」

「太極拳，在香港很普遍，比英國更普遍。」

「是的，但是我無法瞭解他們能從中獲得什麼。我是說，那看起來很不錯，」我趕緊補充，「只是我不明白。」

「太極拳的用處可多了。它可以鍛鍊身體，可以消除壓力，也可以用來防身。」

「防身？」

「各種不同的防身。你曉得的，防身有許多種，不論外在或內在。例如那個無恥的傢伙

打歪你朋友的鼻子。」

「無恥？」

「無恥的傢伙，那也算是病。太極拳對內臟頂好的，可除百病。你知道中文『極』的意思嗎？」

「是指體內元氣，生命的來源。」

「是的。」

「但是我不認為我有，至少我感覺不到。」

「你血管裡有血吧？」

「當然。」

「你感覺得到嗎？」他滿意地點點頭，「你當然感覺不到。同樣的道裡，不論是否感覺到，極都在你體內。極是氣，也就是元氣。靈魂引導心智，心智引導元氣，元氣引導血流。太極拳是用來控制你體內的極，求更好的生命。千里旅程始於第一步，太極就是第一步。」

我點點頭，似懂非懂。我突然有點餓，生命力餓得轆轆響，我從運動褲的口袋裡拿出一條Snickers巧克力棒。喬治張眯著眼看我。

「你要一半嗎？」

「好的。」

我打開包裝紙，折了半條巧克力給他，我們之間有幾秒鐘的沉默。

「我比較喜歡 Mars bar，」他滿嘴的巧克力、花生、奶油杏仁。他細嚼 Snickers，就像品酒專家在品嚐勃根地葡萄酒般。然後，他閉起雙眼，喃喃唸著。

「一天一根 Mars bar……讓你工作時有勁，休閒時有趣。」

「那是什麼？」我問，「中國的古老諺語？」

喬治張沒回答，他只是笑笑。

人參被放在我家廚房裡，有如一件現代雕塑。母親和我花了很長的時間看它，我們像受到挫折的藝術愛好者，正在尋找一件看不懂的作品的意義。

人參像是來自另一個星球的蔬菜，淡黃白色，恐怖的形狀，還有薄根鬚混亂地晃著，看起來有點像魷魚。

「我以為它應該被裝在那種方便吞食的膠囊裡食用。」

「或許應該用煮的，」母親意味深長地說，「跟煮紅蘿蔔一樣。」

「看起來像紅蘿蔔，是啊，一定是這樣煮食。」

「或者，切碎炸食，像洋蔥。」

「像洋蔥，或許可以生吃。」

我們研究著這個人參。這是唯一我看過，會讓我聯想到象人的植物。

「生吃？我可不這麼想，親愛的。」母親說。

「我也不這樣認為。為什麼不去問問喬伊絲到底要怎麼吃？」

「現在？」

「為什麼不？才六點，餐廳還沒開門呢。妳不想知道怎麼吃嗎？」

「好啊，親愛的。聽說它對舒解壓力很有幫助。」

裡面傳來女人大聲說話的聲音，母親和我猶豫了一下才開門進去。

裡面很冷清，我們以為會見到全家人圍著餐桌快樂地吃湯麵。但是今晚，我們只見到喬伊絲和她的小孫子，她正在生他的氣，不斷用夾雜著廣東話的英文大聲罵他。

「你以為你是英國人？」她這樣問他，後面連著一串廣東話，「你去照照鏡子，看看你的臉！你的臉！你不是英國人！」

他才五歲，正趴在桌上寫作業，漂亮的臉蛋上滿是淚痕。

「你是中國人！你有中國人的臉！你永遠都會有中國人的臉！」又是廣東話，「你要比英國人聰明。」

喬伊絲注意到站在門口的我們，她不帶愧色地看著我們。我無法想像她會為什麼事感到慚愧。

「嗨！」聽來像在怒斥，她還是很激動。「我沒看到你們。我後面沒長眼睛。」

「我們來錯時間了嗎？」

「什麼？來錯時間？不會，不會，我只是在教訓我這個孫子要用功努力。」

「他還很小嘛，不需要做功課吧。」我母親說。

「是他爸爸指定的功課。不是學校。學校只會讓他們做他們想做得，休息，看電視，玩電動玩具。他們只有休閒，他們以為自己是百萬富翁，是公子哥兒。好像全世界的人都欠他們一份愛。」

「就是說嘛。」母親笑笑，用愛憐的眼神看著小男孩，「親愛的，你叫什麼名字？」

他沒回答。

「回答女士的問題。」喬伊絲大聲吼叫，像士官長對著哭喪臉的大兵般吼叫。

「威廉。」他說。小小的聲音，還帶著眼淚。

「就是威廉王子的威廉，」喬伊絲接著說，撫摸他厚黑的頭髮，捏捏他圓圓的臉頰，「姐姐叫黛安娜，像黛安娜王妃。」

「多可愛的名字。」母親說。

「我們想知道怎麼煮人參，」我說，我想趕快離開餐廳，「根據你們食用的方式。」

「食用？有很多方式。可以用喝的，像喝茶一樣，你可以把它放入茶杯用開水泡。也可以當湯喝，像韓國人一樣。最簡單的方法是切碎，然後放在小湯鍋裡加水煮約十分鐘，再將湯汁倒出。一盎司的人參用一品脫的水。」

「聽起來很簡單嗎？」母親對著威廉微笑。

他抬頭，淚眼看她。

「妳吃了人參嗎？」喬伊絲問。

「還沒呢，這就是為什麼——」

「喔！人參對妳的身體很好。」她的褐色眼睛瞪著母親，「特別是女人，上了年紀的女人。但也不是只對女人有好處。」她看看我。「它治失眠很有效。老是疲倦，老是感到……怎麼說……衰弱？」

「衰弱。」

「是了，衰弱。」她湊近我的臉，「你看起來就有點衰弱，小子。」

「這正是我需要的。」母親高興地拍手。

喬伊絲邀請我們喝她所謂的英國茶，我們則找了個藉口離開。在我們走出門以前，喬伊絲又再度教訓威廉有關中國臉的事。

我生平第一次覺得，國際化很困難。

「我不能待太久。」碰面時，賈思說。我是餐廳裡唯一沒穿西裝打領帶的客人。

「你必須在香港那邊下班之前跟他們通上話？」他的律師事務所和香港的公司有不少業務往來，我喜歡聽他提起那些事，那樣會讓我覺得我跟那個地方並沒有完全隔絕。不單只剩下回憶。

「不是。等一下有個女客戶會來辦公室。艾飛，你該見見她。那個女人外表像名模克勞迪雅．希弗，說起話來像海倫．溫莎夫人。她擁有最佳組合，胸部與氣質的最佳組合。頗有機會的。」

「優雅？合你的品味，賈思，可磨掉你粗糙的一面。教你使用叉子，教你什麼時候該說洗手間，什麼時候該說沙發椅，教你不可用衣袖擦鼻涕，也不能放炭火在浴室等等。」

他開始臉紅，他不喜歡別人說他不像西敏公爵。通常，你可以任意取笑他，他就像根木頭，但你就是不能說他不是含著金湯匙長大的。

「她兩點鐘會來辦公室，」他看看手錶，「我不能待太久。」

我不介意，我已經習慣了。他常常在我們碰面之初，就表明他不能久待。

我們在吧檯點了咖哩飯。他臉上的傷幾乎全好了，鼻子的繃帶已經拿下來，也看不出矯正過的痕跡，雖然眼下還有點黃黑的淤傷，但看起來其實比較像沒睡好，而不像是被醉漢的頭撞傷。我們拿著餐點，在煙霧迷漫的角落找了張鑲玻璃的桌子坐下。

「你會想起那個晚上嗎？」我問他。

「哪個晚上？」

「你知道，在上海龍的那個晚上，就是你鼻子被打歪，我的肋骨被打扁的那個晚上。」

「我不想去想。」

「我常常想起。我還不太清楚到底是怎麼回事。」

「突擊，逮到我沒防衛的時候。突襲珍珠港。那個胖子，真該叫警察的。」

「我不是指我們，而是指老先生，他怎麼了。」

「他沒怎樣啊，他出現時就已經全結束了。」

我搖頭。

「那個胖光頭，一直要打架，然後老先生出現，光頭就退下，我到現在還不瞭解是為什

麼。」

「沒什麼大不了的，」賈思滿口咖哩飯，「光頭可能以為名探陳查理有五十個親戚在後面廚房裡。快點，我不能待太久，趁還沒涼掉，趕快吃吧。」

「不是這樣的，至少，我不這樣認為。我看得出來，那個時候，他一點也不緊張，他一點也不害怕，不害怕那個比他年輕，比他壯，隨時要打架的人。他就是不怕。光頭可以感覺到他的無畏，毫無畏懼的氣氛。」

賈思用鼻子哼了一聲。

「艾飛，你感到震撼嗎？你覺得老先生的戰鬥力很強嗎？還是你又再一次認為是東方的神秘？」

「我只是說他不怕，而他應該害怕的。」

賈思已經沒在聽我說話了。他吃得很急，想著那個兩點鐘會到他辦公室、金髮的高貴客戶。他在想自己的機會有多大。但是，我還是得跟他解釋一些事。

「我只是在想，如果我能對什麼都無所畏懼，人生該有多美好。賈思，想想看，那有多開放，多自由。如果你不害怕，你就不會受傷，對不對？」

「那你只要有棒球棍就行了。」賈思說，「你爸爸還好吧？還在跟那個瑞士小姐同居？」

「捷克共和國小姐。他走了，不會回來了。」

賈思搖頭。「我得脫帽向他致敬，他到了這個年紀還能有這天堂般的快樂，真是想不到。」

「沒有人會希望自己有個追求時髦的父親。也許有很多人羨慕《花花公子》的創辦人，也許有很多人喜歡還在玩樂的老男人。但沒有人會喜歡他們的父親是這樣的人。」

「我想他不是一個模範角色，我是說，他跟一個女傭混在一起。」

「我不需要一個模範角色，我只需要安定，我需要平安和安靜。這是每個人心中想要的模範父母，不是嗎？也是他們可以給我們的最好禮物：盡力避免讓孩子陷入窘境。我不要我的父親在外頭追求年輕的捷克小姐、鍛鍊他的手臂肌肉，或其他類似的事。我要他想想其他的事，他已經年輕過，他應該了解，很多東西自己已經擁有過了。沒有人想變老，是不是？」

「如果可能的話。」

「每個人都不願意退下舞台，每個人都想要再有一次機會。」

「其實那樣有什麼不對？」

「因為那樣會將過去抹殺掉。每一次的重新開始，就會把過去抹殺掉。你不這樣認為嗎？那樣會將你的人生切成一小段一小段的。如果有無數的機會去做對一件事，你就永遠不會做對，一次也不會。你會老是在從頭開始，會將人生最美好的事變成外賣食品，速成愛情，垃圾愛情，愛情外賣。」

「艾飛，你難道不想再有一次機會嗎？」

「我已經擁有過了。」

11

當我走進教職員休息室時，潔姬．戴正在裡面。她一手拿著水桶，一手拿著《心是寂寞的獵人》。她戴著所有的清掃裝備：黃色塑膠手套、藍色圍裙，以及平底鞋。已經九點鐘了，但是她還沒有開始清掃，還在埋首讀那本書。

「米克還好嗎？」我問，「還擁有她的夢想嗎？」

「哈囉。」她沒抬頭看我。

色鬼藍尼走進來。藍尼是那種肥胖矮短，卻愛大搖大擺，自以為是高高瘦瘦的人。藍尼以前在亞洲教英文，在馬尼拉和曼谷這類地方，他在那邊被寵壞了。他有那種軟軟的驕傲氣息，那種在熱帶地區待太久的歐洲人常會養成的氣息，或是在熱帶地區酒吧待太久養成的氣息。藍尼待在亞洲的時間比待在英國長，現在他看女人的方式就像農夫在衡量牛隻的大小。在邱吉爾，他以好色聞名。

「你看過初級班裡新來的小波蘭人的分數？」他轉著眼球問我，「我不介意教她一點團結，艾飛，你是怎麼算她的分數？我不介意讓她這個同志把她溫熱的小手放在我的生殖器上。」

「藍尼，波蘭已經不是共產國家了。」

「沒錯，她是隻小紅狐狸。」色鬼藍尼說。然後他注意到潔姬，「喔，我們的艾塞克斯女郎，我的女孩，妳早。」他走過去，把那隻註冊商標手臂環繞在她的肩上。「親愛的，如果妳聽過這個笑話，一定要阻止我講下去。為什麼艾塞克斯女孩痛恨振動器？放棄？因為—」

潔姬突然抬起頭，她的眼睛閃閃發亮，腳不小心踢到水桶。

「因為它們會打壞我們的牙齒。」她說，「聽過了，藍尼。那個笑話太白了吧。除了吸吮，艾塞克斯女孩還能拿那東西做什麼呢？藍尼，對嗎？挑個好點兒的笑話吧。」

「別太激動，只不過是個笑話。」

「我全聽過了。」她說，「為什麼艾塞克斯女孩在廚房水槽洗頭髮？因為那是洗蔬菜的地方。艾塞克斯女孩和啤酒瓶有什麼相同的地方？來啊，回答啊，藍尼。」

「我不知道。」藍尼說，假裝抓他的肥腦。

「頸子以上是空的。」

「挺有趣的。」藍尼咯咯笑。

可是潔姬沒有笑。「你這樣認為？那你會喜歡這個的，金髮艾塞克斯女孩和飛機有什麼相同的地方？」

「他們都有一個黑盒子。我知道這個。」

「你知道？打賭你知道的沒我多。藍尼，我聽過很多。艾塞克斯女孩和蚊子有什麼不同？如果你打蚊子的頭，牠會停止吸吮。為什麼艾塞克斯女孩穿長褲？保暖她們的膝腳

踝。如何才能讓艾塞克斯女孩的眼睛出火花？在她們的耳朵裡點火。」

藍尼還在笑，但開始有點緊張。潔姬站在他面前，用戴著黃色塑膠手套的手抓住那本《心是寂寞的獵人》，儘量不讓自己的聲音發抖。

「我知道這些笑話。你知道嗎，藍尼？不好笑。」

「冷靜一點，冷靜一點。」他擺出受到攻擊的樣子，「我不是針對妳。」

「藍尼，我知道你不是針對我。我也知道你不是針對艾塞克斯女孩。但是我也知道，像你這種男人認為所有的女人都是笨娼妓。」

「我愛女人！」藍尼反駁。他轉向我。「如果我能用不像胡立歐．以格雷西亞斯的歌聲來表示我的愛意的話。」

「我不認為你可以。」我說。

「我聽過許多有關你的批評。」潔姬．戴說，「這個屋裡只有一個笨蛋。知道嗎，藍尼？那個笨蛋鐵定不是我。」

她把書塞進藍色圍裙，然後提起桶子，一句話也沒說就走出去了。

「有人就是開不得玩笑。」色鬼藍尼說。

莉娜在街尾等我。

街尾轉角有家棕色的老舊酒吧，喝酒的男人透過印花玻璃，一邊摳抓啤酒肚，一邊垂涎這個有營養的獎品。

「艾飛。」

我直接走向她。

「你以前是喜歡我的。」

我看看她，這個迷惑我父親的年輕女子，這個讓我父親搬到出租公寓，鼓勵他在運動器具上找回年輕，讓他在眾人面前脫掉泳褲的女子。而我，實在很難認為她是一個莫名其妙的女子。她有一頭金髮，修長的雙腿，而我知道她不是胸大無腦的金髮尤物。可是她有多聰明？她跟我的父親搞在一起。

不是莉娜，而是整個情形都很荒謬。最荒謬的其實是我父親，是我荒唐的父親。

「我還是喜歡妳。」

「除了你母親以外，你不喜歡任何跟你父親有性關係的女人。」

「既然你提到了，我得說我連我母親都不喜歡。」

我們相視而笑。

「莉娜，我不知道能說什麼。我很難將妳視為我們家的朋友，因為我的家已經破碎了。」

我看著她，想像父親怎麼看她。我可以理解父親為何會愛上她的臉蛋、腿和身體，可以理解經歷半世紀婚姻的父親有多興奮。但是，他明白自己想擁有她是過於貪心嗎？

「你應該可以理解的，艾飛。愛一個人，會想跟他在一起。」

「我父親不知道什麼是愛。」

「為什麼你要這樣說？我知道你替你母親感到難過。但事實上，這件事遠超過你所能想像的。」

「他要得太多了，太多了。他已經擁有一個人生，就應該安然接受它。」

「人怎麼可能要求太多呢？」

「可能的，莉娜。如果你是一個貪戀食物、藥物或酒的人，你就是要求太多。莉娜，如果妳認為這件事不只是任性，如果我父親是慎重地打算從頭來過，那他就是在要求一件超過他應得的東西。」

她問我要不要喝咖啡，於是我們走到對面的義大利咖啡館。這樣比較好，我倒不是因為那些酒吧裡偷窺的男人，而是怕母親會從這裡經過。

「我只是不明白妳在想些什麼？」點了卡布奇諾之後我問她。「妳沒有簽證的問題吧？妳可以合法地留在英國吧？」

「那樣說並不公平。」

「為什麼不？我不瞭解。就算妳想找個老傢伙，也不要找上我父親。我的意思是，我父親已經老到準備進廢船場了。」

「他是我到目前為止碰到最好的人。聰明、仁慈、懂得生活。」

「是喔。」

「他知道許多事。他已經見識過人生。再說，我喜歡《有橘子的聖誕節》，那本書就像他本人，溫和仁慈。」

「那我母親該怎麼辦？她應該爬到角落？那麼他對她的溫和仁慈呢？」

「對你母親，我真的很抱歉，她一向對我很好。你知道的，事情有時候就是這個樣子。當兩個人愛上彼此，就會有人受傷。」

「不會有結果的。他是個老頭，而妳還是學生。」

「已經不是了。」

「他已經不是一個老頭？」

「我已經不是學生了，我不修管理碩士學位了，我已經不需要了。」

「怎麼啦？」

「我已經退學了，我要當邁克的私人助理。」

「邁克不需要私人助理。」

「他當然需要，常常有人找他寫一些東西，參加活動，到電視或電台接受訪問。」

「他需要的是一個答錄機。」

「他需要有個人替他處理這些外務，他無法專心，但我可以幫他。他可以專心寫作，我處理所有其他的事。這比任何學位有價值，也讓我們能夠常常在一起。」

「聽起來很糟糕。」

「你應該為我們高興，艾飛。他需要我，我也需要他。」

「你們都該去檢查你們的頭腦，尤其是妳。」

「艾飛，年紀大的人有時會令你驚訝。我們去看過你的奶奶，帶給她愛吃的巧克力，盒

子上印有老式的士兵和女士的那種，什麼街的。」

「好品質街坊。她說妳把軟的都先吃掉了。」

「我不怪你對我生氣。」

「我並不生氣，我為妳感到難過。我氣我的父親。妳只是笨。而他是一頭冷漠、愚笨的公牛。」

「喔，艾飛，他是一個美好的人。」

我搖頭，「他之所以跟妳成立一個家，那是被逼的。」

「反正遲早都會發生。」

「結婚的男人不會這樣做。結婚的男人會留在家裡，直到環境不允許。」我在桌底下摸摸我的結婚戒指。「他們留在家裡，直到被迫出去為止。」

我的學生優美，那個染金色頭髮的日本女孩，有天下課後留下來，向我抱怨色鬼藍尼騷擾她。

「他在走廊上想趁機摸我。他老是說：寶貝兒，去喝酒吧，寶貝兒，我幫妳額外上課，口腔課，哈哈哈。」她搖頭說，「我不要藍尼替我上那種課，他又不是我的老師，你才是。」

「妳不能直接告訴他妳沒有興趣嗎？」

「他聽不進去。」

她的眼裡充滿淚水，我拍拍她的肩膀。

「我會和他談談。」

早上休息時間時，藍尼剛好在教職員室，他正與哈密栩一起喝即溶咖啡。哈密栩來自格拉斯哥，是個英俊的三十歲男人，英俊到不該是異性戀者。

「基本上，你因為是同性戀才到倫敦？」藍尼這樣問他。

「可以這麼說，」哈密栩回答，「我之所以來倫敦，是因為倫敦是追求謹慎的同性戀生活的好地方。」

「謹慎的同性戀生活是指有一個約束的關係，只有一個性伴侶？或是指每晚在漢普斯黛綠地和一群不知姓名的陌生人做愛？」

「可以和你談一下嗎？」我問藍尼。

我把他帶到旁邊，他的手臂環繞著我的肩膀，藍尼是個仰賴觸覺的人。但是我想不只是這樣，他對我頗有好感，因為我在亞洲教過，他把我視為同類人。

「老夥伴，什麼事？」

「藍尼，說來有點不好意思。我的一個學生，優美，向我抱怨你。」

「那個小日本模特兒？一九九八豐田小姐？我保證可以很快上手。」

「優美，是一個有頭髮的女孩。問題在於，她說你誤解她的訊號。」

「誤解她的訊號？」

「要怎麼說呢？她對你沒興趣，藍尼。」藍尼怪異的眉頭不悅地皺起來。「天曉得她為什麼不喜歡，藍尼，就是這樣子，女人，嗯，不會發生的，夥伴。」

「我很抱歉，夥伴。」藍尼說，「真的，我一點兒都不知道優美會這樣說。」

「不是像你想的——」

「海裡還有很多魚。」他又露出色鬼樣，咯咯笑了兩聲。「我會把我的鉤子拋向別的地方。」他拍拍我的背。「沒問題。」

我正轉頭要走。

「喔，艾飛？」

「什麼？」

「替色鬼給她你的大鉤子吧。」

優美一個人坐在愛蒙得弗里拉的角落喝礦泉水。

「他不會再騷擾妳了。」我告訴她。

「謝謝，我請你喝杯酒。」

「不用，不用。」

「可是我想請你。」她走到吧檯，倒出零錢算了很久。平常我很妒忌、羨慕我的學生，但是這個時刻，我為優美感到難過。她繞了大半個地球來學英文，卻被胖色鬼藍尼騷擾。

她抱了兩瓶金氏黑啤酒回來，放了一瓶在我面前。

「他是一個很壞的人，」她說，「邱吉爾每個學生都知道。幾乎每個人他都想碰，好看的，不好看的，只要有大胸脯就行了。」

然後她用溼潤的棕色眼睛瞪著我看，讓我想起我有多寂寞。

「真是不可思議，」我說，「什麼老師會做那樣的事？」

12

優美的房間位於一棟過去五十年來房間越隔越小、搖搖欲墜的樓房的走廊底端。走在走廊上可以聽見音樂、談話聲、笑聲、關門聲以及電話鈴聲。太小的空間擠了太多的人，因此產生許多不和諧的雜音，互相干擾彼此的生活。我在她房門外脫了鞋子進去。

房間的窗戶對著廢車場，沒什麼可看的。地毯磨損得很厲害，房裡唯一的熱氣來源是一個兩管熱氣爐。

這裡像個垃圾場，可是又不太像，優美用許多從家裡帶來的照片掩飾剝落的牆壁。到處都是拍立得照片和大頭貼，一個害羞的圓臉女孩出現在許多照片裡。

「那是我小妹。」

優美想把這間冷冷的小房間變成一個家，她用她的回憶和照片來捍衛這個家。

優美點燃香味蠟燭，把收音機轉到播放爵士樂的電台，然後拉開沙發床。拉開的床舖佔去大部分的空間，我們站著互望一會兒，我發現自己很緊張。

「我沒帶任何東西。」我說。

「那不正確，」她說，「你有一付好心腸、可愛的笑容，以及幽默感。」

「不是，我的意思是，妳曉得的，保險套。」

「喔，沒關係，我應該有一些。」

「還有，我還沒有跟任何人做過，」我說，「我的意思是，在我太太過世之後。」

她撫摸我的臉頰。

「沒有關係，」她說，「不管以前發生過什麼，一切都會好轉的。」

這正是我需要聽到的話。我溫柔地撫摸她，一開始，我非常訝異她的身體與蘿絲那麼不同，她比我想像中好太多了。她的身體驚人地年輕、柔軟，她是一個溫和、甜蜜的愛人，當我開始興奮時，她用一種不會讓我覺得不適的表情微笑。優美讓我認為自己沒有缺點。

事後她將臉埋在我的胸前，她笑著說我是她最喜歡的老師—她用了「先生」這個詞—然後她出乎我意料地用力抱著我。我也笑了，我身體放鬆，心情愉快，不敢相信自己的好運。

後來她窩在我的手臂裡睡著了，我望著燭火漸漸熄滅，這是室內的亮光，只剩下熱氣爐。我已經許久沒有這麼快樂了，我慢慢睡去。

就在快要睡著時，我瞥見優美的紅色大旅行箱擺放在角落，好像她才剛剛到這裡，或者，她一會兒就要走了。

當第一道曙光溜進屋內，我醒了。優美還在睡，那要命的金髮散覆在她臉上，只有小鼻頭露出來。我暗自微笑，不敢相信她跟我在一起。

我輕輕抽開我的身體，溜下沙發床，穿上我的卡其長褲。我輕聲開門出去找洗手間。

忽然，有個男人出現在我上頭，一個光溜溜的男人。他的金屬耳環恐怖地在黑暗中閃爍，這個光頭佬嘴巴大開地在我頭頂上，好似可以隨時咬斷我的喉嚨。

「耶穌上帝！」我低聲叫，身體往後靠。

他只是在打哈欠！他打完哈欠，砸砸嘴唇，騷抓他曝露的下體，然後看看我。

「先生，介意我先用嗎？」他帶有澳洲腔調，「晚上喝多了。」

我全身發抖地靠在薄薄的塑膠隔牆上，想制止心臟噗噗亂跳。不久傳來馬桶沖水聲，那人閃出洗手間，快速消失在黑暗中。

我回到沙發床，優美被吵醒了，她暖和的像片吐司，光滑的像冰淇淋，我跟她述說剛才的恐怖景像。

「喔，」她用沒睡飽的聲音說，「室友。」

我們有一個完美的週末。我最愛的那一種，平凡又特殊。

起得很晚，優美說她要做早餐。但有人—我猜是那個穿耳環的人—偷了她放在共用廚房的牛奶，她說那牛奶還沒過期呢。所以我們在一起淋浴之後，到街尾一家小小的餐館點了全套英國式早餐，優美花了一世紀的時間才把那些炒過的食物吃完。

我們在肯頓市場逛了一下午。優美愛看二手衣服，看她逛得高興，我也高興。

我們手牽手逛街，她會趁我不注意時親我。我發現她並沒有真的在邱吉爾註冊。她今天的衣服有點古怪，是一件中古、有點像曾經屬於潔兒達·費滋傑羅的衣服，加上她染了金髮，她得到不少眼光。但是我以能跟她在一起驕傲。她是一個很棒、有趣、聰明的女孩。我們停在一家小咖啡店喝拿鐵，她跟我說她遠在大阪的家人。

她父親過去是一家大公司的重要幹部，在經濟衰退時喪失工作。她的母親是典型的日本家庭主婦，突然發現自己必須做秘書工作來養活家人。她的妹妹則拉了一手漂亮的小提琴。優美的父母較偏愛妹妹，因為她不會染髮，也不會和染髮的男孩出去。優美之所以來倫敦，是因為她找不到自己的角色，在日本，這是很不尋常的。

我也告訴優美我的故事，我跟她說我的教書工作，我去香港，遇見蘿絲。我還告訴她潛水意外，我如何失去蘿絲。我告訴她所有的事，她則握住我的手，棕色的眼睛充滿眼淚。我還告訴她我父親和他的女朋友的事。

我想起我得替奶奶購物。出乎我意料之外，優美表示要陪我去，所以我們找了家超級市場，替奶奶買每星期六固定的物品：白麵包、豆子、鹹牛肉、罐頭醃肉、培根、糖、牛奶、茶包、雞蛋奶油布丁餡、巧克力消化餅乾、薑餅以及一根香蕉。那一根香蕉總是牽動我的心，它不只代表了一個老人的購買清單，更代表了一個古老時候的購買清單。

我的奶奶一向高興見到新面孔，她張開手臂歡迎優美。她低聲放著辛納屈最好的一張唱片《A Swingin' Affair!》當然了，許多傳統樂迷會認為《Songs For Swingin, Lovers!》才是最好的一張。她們坐著聊天，我則擺放購買的物品。

優美跟奶奶說京都的寺廟、富士山的雪和春天的櫻花。奶奶同意參觀這些地方會是她該做事項的前幾個。

「可愛的牙齒，」當優美去洗手間時奶奶說，「一定是米飯的關係。你說她是從哪裡來的？中國？」

「奶奶，是日本。」

「現在每個人都說英文。」我的奶奶說。

優美是一個親切的客人，她勇敢地吃完奶奶給的一疊薑餅，腳則跟著辛納屈打拍子。

「啊，」她說，「老音樂。」

「甜心，喜歡辛納屈的歌嗎？」奶奶問。

這些尋常的親密是奶奶最可愛的地方。即使對陌生人，她都會用陽光底下最甜蜜的稱呼，例如親愛的甜心、親愛的愛人等等。她對每一個人都是這樣。對優美來說，這是她該得的稱呼。

一年快過完了，母親才又回到她的花園。

十一月，我原本以為花園已經荒廢了，但母親高興地告訴我，花園裡還有許多地方需要整理。

「你一點也不了解花園裡的工作，對不對？」她笑我，「每年這個時候，要種下鬱金香和其他春天開的花的根球。清洗並收好花盆和發種子的小盒子。整好種玫瑰的地。清除野草，加堆肥和肥料，種玫瑰。」她笑著對我說，「你知道得花多少功夫種你的玫瑰？」

有時，我發現她不是一個人在外頭的花園裡。我可以聽見夾雜著廣東話的英文，我知道是喬伊絲·張和她的孫子。喬伊絲和母親一起跪在地上，一邊說笑，一邊用手指挖土，威廉和黛安娜則拿著比他們高的掃帚掃最後的乾樹葉。

「現在正是整理小菜園的好時候，」喬伊絲跟我說，「工作好嗎？」

「什麼？」

「教書的工作好嗎？錢還可以？老師在這個國家待遇不好，這裡不尊敬老師。在中國，老師跟父親具有同等地位。」

我以責怪的表情看著母親，但她只顧忙著泥土。她告訴這個女人多少有關我的事？

「還好。謝謝。」

「教師待遇不好，但安定，」喬伊絲繼續說，「每個地方都需要老師。雖然辛苦，但教書不是為了錢。」她用粗糙的手挖土。「需要幫媽媽。」

她是指我，她自己，還是我們兩個人？

「十一月，」她又說，「是整理菜園的好時候。」

「喬伊絲要幫我做一個小菜園，」母親說，「親愛的，多美好的事！」

母親在做一些我原來賭定父親離開後她不可能做到的事，她忙著種玫瑰。我知道，她希望我也能夠做到。

「親愛的，很高興看到你多出去玩。」母親對我說。

喬伊絲點頭表示同意，用機伶的眼睛看我。「要把你的頭髮放下來。不太老在牙。」

我搖搖頭。「妳是說，讓我的頭髮下來，我不會一直有牙齒的。」

「先生啊！你知道我在說什麼嘛！」

那倒是實話。

13

禮拜六，我們去跳舞。我原本不想去，但優美堅持禮拜六夜晚是用來跳舞的，所以我們前往蘇活區一家小俱樂部，音樂比我想像中好，客人的衣著也沒有我害怕的那麼前衛。整體而言，那裡氣氛不錯，不像我二十幾歲時，那時沒有人想裝酷，沒有人在乎你穿什麼，也沒有人在乎你的舞跳得如何。我們隨著音樂搖擺，不久優美就想坐下來喝Evian礦泉水，反倒是我想繼續跳舞。

稍晚，我們到浦爾街的旋轉壽司吧吃東西。這是敬恩打工的餐廳，他過來打招呼，對於優美和我在一起似乎不感到訝異。

優美說日本人通常不喜歡這種餐廳，因為魚沒有當場點的新鮮，但我覺得很好，我們吃光了一疊不同顏色的碟子，有鮪魚、鮭魚、鰻魚、蛋、蝦等等。

我們回到她的住處，然後慢慢、輕鬆、不太清醒地做愛。第二天中午起床，我們散步到櫻草花山頂，這天的天氣很晴朗，整個倫敦清楚地呈現在我們眼前。

「好美。」優美說。

「是啊，」我看著她的臉龐說，「好美。」

星期一早上，母親已經出門去尼爾森曼德拉高中工作，父親突然回家。

見到他，我多少還是高興的。我想念他，想念他在家裡的日子。但是他挑這個時間來，根本就是怯懦的表現，我瞧不起他。我坐在樓梯上，看他裝滿數個箱子：檔案、書、衣服、影片、文件以及一疊CD。

他打算搬走，離開我們。

在等待裝箱的一疊CD中最上面的一張是《Dacing in the Street - 43 Motwon Dance Classics》，那是一個青春、樂觀的世界，在這個時間、這個地點看來，很不相稱。

「新書進行得如何？」我問他，「快寫好了吧？」

他沒看我，正忙著把已經裝得太滿的行李箱關起來，他一定無法一個人把那個行李箱裝進車子。但我不會主動幫他。

「書會寫好。」

「很好。」

「你以為我好過嗎？我不好過，我想念我的房子，你想像不到我有多想念。」

「那我們呢？」

「你認為呢？我當然想念你，你們兩個。」

「我無法理解，你要如何對你自己解釋。」

「你在說什麼？」

「你離開這個家，你施加給媽媽的痛苦。我不明白你晚上如何睡得安穩。你一定想過、調整過，你是如何做到的？」

「莉娜是一個非常特別的女孩。嗯，我可以說她已經不是一個女孩了，她是一個非常特別的女人。」

「爸爸，萬一她不是呢？萬一她不過是另一個漂亮女孩？爸，萬一你弄錯了呢？要是所有的事都弄錯了呢？值得嗎？」

「她遠不只是有張漂亮的臉蛋，你真的認為我會為了一張漂亮臉蛋而把所有的事情弄成這樣嗎？」

「是的。」

「算了。」他終於把行李箱塞進車內，「能公開是好的。」

「你是說你猥褻的行為能公開是好的？」

「我是說我與莉娜的關係。我已經厭倦偷偷摸摸了，我們也不可能那樣長期下去。」

「所以，莉娜是什麼？你的情婦？」

「天啊，不是。莉娜當然不是我的情婦。」

「那是說你沒給她錢？你塞過幾鎊給她，不是嗎？」

「是，是的。這跟你沒有關係。」

「你是為了特權。」

「不能這樣說。」

「你為了你的特權而塞錢給她。如果那不是情婦，那是什麼？如果時間允許，你就可以

見她，對吧？」

「已經不是這樣了。」他第一次以挑戰的態度看我。「現在，如果我想的話，我隨時都可以見她。」

這個老頭幾乎打包好了。當然還是有許多東西留了下來，包括一堆西裝、一書房的書，以及足夠開間小健身房的運動器材。這不過是打包基本物品的一個迅速襲擊，他今天不是來清算的。他現在只想要乾淨的內衣褲和他的黛安娜．羅絲。

「你是怎麼做到的？」我問他。「你怎麼沒被發現？你一定是騙自己騙到底了，你一定是騙自己正在做一件事，而真正在做的其實是莉娜。」

「你要不要洗洗你的嘴巴？」

「你不覺得那樣有點骯髒嗎？那樣欺騙自己？」

「我並不喜歡那個樣子。」

「但是並沒有不喜歡到讓你停止。」

「大概沒有吧。」

「她都不知道。我是說媽媽，她連一點懷疑都沒有。無知到底是一種快樂，對不？是沒得比的快樂？」

「我真的得走了。」

「媽媽信任你，你這雜種，那就是為什麼你能隱瞞這麼久。不是你聰明，而是她信任你，因為她是一個仁慈的好人。而你呢，大概自認為是一個高尚的男人吧？媽媽現在得爬到一旁去死嗎？她應該這麼做嗎？」

「耶穌基督！你的抱怨比她還多。」

他想走，我則上前阻止他離開。

「看著，我已經不是個孩子了。」

「那就不要表現得像個孩子。」

「我可以理解你想和莉娜上床，也可以理解你會不只做一次。」

「非常感謝你的理解。」

「但我無法理解你怎能如此殘酷？」

「我並不想殘酷。我只是想過我的生活。艾飛，難道你從沒想過嗎？只想好好過日子？」他搖頭說，「你大概沒有。」

還有一件我無法理解的事。那些老照片該怎麼辦？那些放在相本、鞋盒和抽屜裡的照片，該去哪裡？

我的父親不可以拿走那些照片，他不可以和莉娜一起在他們租來的公寓裡看那些老照片，她也不會想要看到我、我母親和父親一起在海邊、在我成長的房子的花園裡、在那些已經失落的聖誕節裡的照片。

莉娜對那些是一點興趣也沒有的。而我的父親也不再有興趣，他不要任何會提起舊日子的東西。他要過他的新生活。

而那些老照片對我母親沒什麼好處，她不會想要看到它們。這是我最憤怒的地方。父

chapter 13

親的行為不只污染了現在，也毀壞了過去，讓我們過去的幸福看起來像是一場誤會，我們的純潔是愚蠢，過去曾經美好的東西已經變質了。

我的父親不只毀了現在，他同時毀了過去。

我在上班途中買了花，不是很貴的那種，只是一束黃色鬱金香，我不希望自己做過頭。

奇怪的是，優美表現得與平時沒有不同，她仍然像往常一樣，在進階初級班裡開玩笑和說些厚顏的評論，但上課認真，指定課業也都做好了。她像以往一樣是個上進的好學生，她看起來像什麼事都沒發生過。中午休息時，她拿了書就要走。

「可以說一會兒話嗎？」我問她，從桌下拿出鬱金香。

「待會兒吧。」她沒看花。

我的心往下沉。她快速地親了我的臉頰一下，身體稍為壓到花。我的心又往上升。

下課後我帶著花到愛蒙得弗里拉，我站在門口，看見優美和伊恩崙一起坐在吧檯。我走向他們，突然我停住了，我看到伊恩崙一手環在她瘦小的腰上，另一手正親密地撫摸她。

她親吻他的嘴唇，頭靠在他的肩膀上，就像跟我在一起的時候。我很快地轉頭走出酒吧，手裡緊緊握住那束花，緊到連花莖斷了我都不知道。

敬恩突然出現，他關心地看著我。

「她喜歡他。」他簡單的說。

「我不在乎。」

敬恩聳聳肩，「她喜歡他很久了，從她剛進學校就開始了。」他疑惑地看著我，「抱歉。」

「敬恩，謝謝你。」

「你還好吧？」

「很好。」

「回到裡面去吧，先生，喝杯金氏黑啤酒，聽聽可兒家族。」

「改天吧。」

「先生，那就，晚安。」

「敬恩，晚安。」

我不停地告訴自己是個笨蛋，我把花塞入路旁的垃圾桶。小俱樂部裡的跳舞、星期日的櫻草花山頂、在紅色行李箱的監視下做愛—我的確相信明天在呼叫我。

糟糕，我撥錯電話號碼了。

我看見蘿絲，真的。她站在倫敦街頭，一個她不可能在的地方。

我坐在計程車裡，正要從西區回家，她卻突然出現在那裡。那不是一個長得像她的女人，而是蘿絲本人，一樣的臉孔，一樣耐心等待的表情，雖然衣服不一樣，但真的是同一個人。雖然知道不可能是她，但我無法相信不是她。

她在等公車。我勉強克制住自己想大叫停車的衝動，想下車奔到她身邊的衝動，因為我知道我不能這麼做，因為如果我這麼做，蘿絲就會被一個不完美的陌生女人所取代。她不是蘿絲，蘿絲已經走了，我永遠不會再見到她，至少，不是在這個世界。

我跟死去的人相通？

笑話。

我連活的人都無法溝通了。

14

星期一早晨，煩人的學生。

曾又坐在後排打瞌睡，伊恩崙呆呆地看手機留言板，凡妮莎和阿絲杜露娣在聊天，優美則在安慰快哭出來的維托。只有敬恩看著我，像在等待什麼事情發生。

我站在他們前面，做好肢體準備。曾打起呼來。

我清清喉嚨。

伊恩崙敲了一則文字訊息，凡妮莎和阿絲杜露娣忽然大笑，維托低聲哭了起來，優美則環抱著他。敬恩轉頭不看我，他替我覺得不好意思。

「好了，有誰可以把那份作業給我？」我問，「作業？有誰？」

附帶說明，他們全都在座位裡動來動去，沒有一個人看我。我知道沒人做好作業。

平時我會算了，但是今天，沒做作業突然讓我懷疑起自己在這裡做什麼，他們又在這裡做什麼。

「有沒有人記得作業是什麼？」

「推論式作文。」優美回答，一邊拿面紙給維托，「提出見聞，列舉自己的意見。」我們互相看著對方。「用很正式的型態。」她說。

用很正式的型態？不錯。不知道她是指推論式作文，還是我們之間。

「你怎麼了？」

他搖搖皺皺的波蘭頭。

「沒什麼。」

「沒什麼不對？」

「沒有。」

「那你為什麼哭？」

優美用保護式的手臂抱著他。「他想念家人。」

維托開始大哭起來，肩膀不停抖動。

「我太太，小孩，媽媽。這麼遠，這個地方這麼……難。喔，這是一個辛苦的地方。牛排館是個辛苦的地方。別沾惹福克島，阿根廷小子。告訴馬勒當拿，我們會把他的手剁下來，阿根廷小子，」

「你花了十年才拿到簽證，現在你思念你的家人？」

「是的。」

「那麼，以後要謹慎你的許願，聰明的人。因為願望有時會實現。」

優美怒目瞪我，「他有權利思念他的家人。」

我也怒目回瞪，「那身為你們的老師，我有權利被尊重。那就是說，不可以在課堂上發洩情緒，不可以使用手機，伊恩崙，謝謝你。也就是說，你們要把這裡當成學習的地方，而不是打盹的地方。」

「打盹的地方？」有人說。

「新成語。」有人回答。

曾還在睡。我走到他旁邊蹲下來。他臉上的皮膚軟而光滑，嘴唇上方有幾根稀疏的黑毛，看起來，他一個月刮鬍子不會多過一次。我把臉貼近他的耳朵。

「要加炸薯條？」我輕聲地說，他忽然跳醒。凡妮莎和阿絲杜露娣大笑，但看到我的臉色後就不敢笑了。

「曾，你到這個國家的目的是什麼？」

「一個較好的生活。」他緊張地眨眼，一邊喘著氣說。

「如果你要一個較好的生活，試著上課時清醒點。」

我給他一個冷笑。「少花點功夫在李將軍好吃田納西廚房，多些在邱吉爾國際語言學校，可以嗎？」

「好的。」

然後我叫這些小鬼寫作文。主題是科學與科技的發展對人類的正負面影響。他們潦潦草草地寫，我則在教室裡晃來晃去。

「要有兩方面的意見，」我說，「好與不好，正面與負面。用下列句型來敘述你的意見，some might say …… others might argue that …… there are, however, some risks such as ……」

通常他們會問我的意見，開開玩笑，但今天不知是太害怕還是太生氣，大家都不說話。我覺得喪氣，猜想他們是不是不喜歡我了。

鈴聲響後，他們很快地離開教室，除了優美。我收拾東西，她則站在我身旁。

「不要把氣發洩在他們身上。」

我沒看她。

「我很抱歉，艾飛。」

「抱歉什麼？沒有什麼好抱歉的。」

「跟你在一起，我很快樂，」她說，「但是你嚇到我了。」

「我怎麼嚇到妳了？」

「花，花嚇到我了，它們讓我覺得你要的……怎麼說，太多了。」

我把書放進背包，拉好拉鍊。

「不要擔心，」我告訴她，「那是最後一束花。」

賈思跟他的新女朋友正處於希望全世界都能分享他們的快樂的階段。我不知道快樂的佳偶為什麼不能私下快樂就好，為什麼要我們來認定他們的快樂？是不是他們不敢相信自己已經找到幸福？懷疑這份幸福是海市蜃樓？為什麼不能滾開，別來吵我們？

賈思的新女朋友叫泰姆莘，也就是上回見面時他說他很喜歡，急著趕回去見的客戶。泰姆莘要在她的住處舉行晚宴，一個向大家宣佈他們關係的晚宴。我躲不掉，天啊，我試過了，但就是躲不掉。我找了幾個不錯的藉口，可是賈思一直為我換日子，這個狡猾的傢伙。唯一可以不參加的方法是直接告訴他：喔，去死吧，賈思，我從來沒有喜歡過你。我是想過要這麼說，但是不能，因為賈思是我最要好的朋友，唯一還跟過去有關聯的朋友，我害怕失去他。

這就是為什麼我會站在Notting Hill的一間白色西班牙式屋外，拿著一瓶白酒了。有人開門讓我上第三層樓。這天搭乘地鐵時，我看見有人在讀《有橘子的聖誕節》，結果我一整天都覺得怪怪的。我一向都覺得，有人會覺得父親的作品很有趣是一件奇怪的事。

賈思開門讓我進去這間昂貴的小屋。屋裡有亮麗光滑的木質地板，牆上掛著黑框日本畫，長方形玻璃桌上已經擺好六份餐具。這個地方結實的像個停屍間。

賈思沒打領帶，這表示他下班了。他從背後拍拍我，滿面春風，他的得意完全顯現在臉上。

我聞到烤檸檬魚的香味，這是屋裡唯一代表人氣的味道。一位赤腳金髮女郎從廚房出來，一邊擦乾手，一邊走向我。

「聞起來很香，」我告訴她，「鐵定不是我。」

「艾飛，」泰姆莘親親我的兩頰，「我曉得這是老套的說法，但是我真的聽到許多有關你的事。」

我知道賈思為什麼如此迷戀她，她很親切，談吐大方。當賈思急燥地做甜點，想發揮他文明男人的作風時，泰姆莘和我坐在沙發上聊天，我告訴她地鐵裡的故事，對看見別人讀我父親的書的感覺。

「喔，我很喜愛那本書！」她說，「溫馨，有趣，真實。」

「但有趣的是，」我告訴她，「我父親完全不是那樣的人。他一點也不溫馨、有趣、真實。他是一個冷漠、不有趣和不真實的人。事實上，他是……」

就在這時，賈思遞了一碗薯片到我面前。

「翹鬍子？」他問，「起司和洋蔥，炭烤口味？」

賈思開了一瓶香檳，泰姆莘告訴我她的職業，我只能聽懂她在一家商業銀行擔任重要的職位，正為一家新創公司的事諮詢賈思。

「我們的律師事務所有許多歐洲地區的案子。」賈思說。泰姆莘崇拜地看著他。他們很幸福、很快樂，我們談得很愉快，直到其他的客人出現。

夜晚開始進入嚇人的局面。

先是一對夫妻來到，那是賈思打橄欖球的球友和他傲慢、瘦竹竿似的太太，丹尼和印蒂亞風也似地進來，當賈思忙著倒香檳時，他們表現得好像擁有這個地方。

「你做什麼的？」印蒂亞問我。

「教書。」我說，他們同時以一種表情看我，好像我說的是，「我的工作是用二手牙刷清洗城市。」或許是我多疑了，或許是我喝多了，在我告訴他們我的工作之後，他們就沒再和我說話。所以當印蒂亞和泰姆莘閒聊今天的烤魚食譜，丹尼和賈思閒聊商事法時，我只是靜靜的坐在沙發上，慢慢進入絕望。正當我快要喝醉時，賈思神秘地對我笑笑。

「猜猜看我為你準備了什麼。」他說。他走到廚房，從冰箱拿出某種東西，他將黃色有泡沫的啤酒倒入高腳杯，我馬上認出銀綠色的啤酒罐。

「青島。」我說。

「你最愛的。」賈思說。

我很感動。為了要讓我舒服點，我知道賈思花了不少心思。啤酒加香檳，不是好主意。事實上，是爛主意。很快的，我的眼睛迷濛起來，開始無法集中精神。

「艾飛的父親寫了本好書，」泰姆莘試著將我拉進談話圈，「《有橘子的聖誕節》。」

「真的？」印蒂亞說，她第一回對我產生興趣。「《有橘子的聖誕節》？天啊！一本經典，我早就買了，一直想讀。」

「他越來越有名，」我告訴他們，「我是指我父親。有一張他和女朋友的照片登在標準報上，他們微笑假裝不知道被偷照。」我喝了一大口青島。「他是越來越有名，好笑的是，他不該擁有名聲的，因為他根本不再寫了。我問你們，我應該覺得怎樣？」

他們全都愣住看我。

「我想當一個作家，真的。首先，我要寫香港，寫她的重要性，寫她的魔力。現在，我不曉得還要不要寫，我已經失去寫作的動力。」

「為什麼你不寫一些關於蠢人，拿不穩酒瓶，融入不了現代的東西？」賈思說，「要寫些你熟悉的東西。」

鈴聲響起，最後一位客人到了，那是一位漂亮、超重的年輕女士，她在賈思律師事務所工作，叫珍，三十幾歲。她很友善，可是有點緊張。晚餐時，我們坐在一起，我不是應該跟她配對吧？我面前擺著一道特意裝飾的沙拉。

「溫熱的紅菜、生菜、醃肉沙拉。」泰姆莘說。

「她真是個天才。」賈思說，他們交換一個甜蜜的輕吻，這讓我臉紅，開始不由自主地冷笑。我深深覺得，我不是一個好客人。

「好吃。」印蒂亞說。

「紅菜、生菜、醃肉沙拉？」丹尼說，「聽起來像義大利律師事務所。」

除了我，每個人都在大聲說話。珍看看我，想找話題說。

「賈思說你在香港待過。」她和悅地說。

「是的。」

「我在新加坡待過兩年。我愛上了亞洲的食物、人、文化。」

「不一樣的。」我告訴她。

「抱歉，你說什麼？」

「不一樣的。香港和新加坡，熱帶雨林和高爾夫球場。新加坡是高爾夫球場。」

「你不喜歡新加坡？」她說，皺起眉頭。

「太乾淨了。」我肯定地說，「新加坡不同於香港。有人說過，新加坡是一個死刑的迪士尼樂園。」

珍悲哀地轉回她的沙拉。

「艾飛，你什麼時候去過新加坡？」賈思說。

「什麼？」我想拖延時間。

「我說，你到底什麼時候去過新加坡？」他收起笑容，「我不記得你去過新加坡，怎麼忽然間你變成新加坡專家了！」

「我沒去過新加坡。」我說，有點動氣。

「那你就不知道你在說些什麼，對不對？」

「我知道我不會喜歡那裡的。」

「你怎麼知道？」

「我不會喜歡任何一個被形容成有死刑的迪士尼樂園的地方。」

「新加坡司令，」印蒂亞說，我們以為她有點不太對勁。「高級的雞尾酒。」她又說，同時叉起一塊生菜。然後他們說起個人喜好的雞尾酒，連可憐的珍都裝腔作勢說起所知有限的椰林風情（Pina Colada）。

「我喜歡那種長長、慢慢轉進牆壁的。」丹尼說，正如他期望，每個人都大笑。

「艾飛，你呢？」泰姆莘問我，她還在努力讓我融入大家，這也表示她知道這是一個無聊、但無傷大雅的話題。賈思怎麼能夠得到這樣的女人？對他來說，她是不是太好了？

「你最喜歡的雞尾酒是什麼？」

「我不太喝雞尾酒，」我輕聲回答，好像我無法參與這個話題，我喝光杯裡的啤酒。

「也不常喝酒。」

「很明顯嘛。」賈思說。

我檢視喝光的酒杯，好像我是一個專家。

「可是，我喜歡青島啤酒，讓我想起家。」

「家？」珍說，「你是說香港？」

印蒂亞有一個疑問。

「為什麼你帶結婚戒指？」她問，看著我握酒杯的手。一片沉寂。

「什麼？」

「為什麼你帶結婚戒指？」她再次問，「你沒結婚，不是嗎？」

我放下酒杯，望著左手第三根手指，一副以前沒看過這根手指的樣子。

「我曾經有過婚姻。」

「你還帶著結婚戒指？喔，真甜美。」

「現在有許多離婚的父母，」丹尼以他的邏輯接腔，「為了小孩把日子弄得非常糟糕。說真的，他們還不如勉強在一起。」

「我沒有離婚。」

「沒有，」賈思說，「他沒離婚。他太太死了，是不是，艾飛？她是一個漂亮的女人，但她死了，死於潛水。我們都應該為你感到難過，不是嗎？可憐的艾飛和他死去的太太。我們應該因為自己還活著而道歉。」

「賈思！」泰姆莘說。

「我厭煩了。」

突然，我跟賈思都站起來。如果不是中間有張玻璃桌和半打高級沙拉，我保證我們早就打起來了。

「賈思，我不要你為我感到難過，沒必要。但是，如果你能離我遠點，就太感謝了。」

「太好了，我以後會的。」

我僵直地向泰姆莘鞠躬，離開桌子。賈思跟在我後面，他越來越生氣。他不會輕易放過我的。

「你太太死了，那是你到這裡來撒野的最好藉口嗎，是不是？是你的藉口嗎，艾飛？」

我沒回答。我就這麼離開。我想：不是，那不是我的藉口。

那是我的理由。

15

潔姬一點都不隨便。

每天早晨她來上班，都會穿得像要去赴洛．史都華的約會。她會穿很高的高跟鞋，很短的裙子，帶有一種奇妙的正式感。看起來，她花很長的時間決定衣著及化妝。她這麼做不是要自我宣傳，而是要自我保護。

即使換上工作服，潔姬看起來仍像空服員或女警員般正式。我認為她花了太多精力讓自己看起來很好，其實她已經很好了。

有時我會在教職員休息室、走廊，以及沒學生的空教室碰見她，她通常提著水桶，或戴著黃手套在擦東西。不知道為什麼，我從沒問過潔姬有關她本人的事，倒是常問她有關《心是寂寞的獵人》裡米克的問題。

書是我與她之間的秘密。

「米克還好吧？」

「還在做夢。」她回答。

我的學生不像潔姬。我的學生穿著隨便，根據他們個人的情況與來自的國家，不是昂貴的不整齊，就是貧窮的不整齊。以凡妮莎為例，每天穿 Versace 白色或黑色牛仔褲。維托，每天穿同一條仿冒的 Levy's 牛仔褲，還拼錯字。如果課後沒有約會，他們就是一身無領運動衫、球鞋、軍服褲或牛仔褲。除了弘子。

弘子在日本時就是個辦公室小姐，她穿正式的淡色套裝、黑色高跟鞋，以及肉色絲襪。我以前在福特南與梅森百貨公司看過正在買精品咖啡和茶包的日本女觀光客穿，但我從未看過我的學生穿。

除了弘子。

弘子不像優美。弘子很穩重。優美則是邱吉爾裡典型的日本女孩，染金髮，穿奇異的服裝，像頭不馴的小公牛。

不只是衣著，弘子還很勤勉用功，她尊敬老師，從不主動發言，回答問題時會害羞，而且只用單音節字回答。她不會真的鞠躬，但跟她說話時，她會誠懇的、表示同意的一直點頭，很像在鞠躬，很像個真正的日本人。有時我會覺得，弘子根本沒離開東京的辦公室。

然而，弘子有點學習上的困難。她是優秀的學生之一，她的讀寫沒有問題，但說話方面有很大的困擾。弘子不愛說話，甚至討厭說話，剛開始我以為她是害羞。後來發現，她不只是害羞，弘子是典型的日本人，害怕自己做不好的事，所以寧可不做。

她是我最好的學生之一。我先告訴她我知道她很用功、認真，然後我才告訴她應該在課堂上多發言，否則口試會不及格。她聽了之後很緊張，結結巴巴地問我她是否該降級，

我則告訴她，即使降級，她仍會有同樣的問題。

「聽著，妳必須克服怕說英文的心理障礙。」我說，「不要想得那麼嚴重，好嗎？就是當地人也會說錯。說出來的話即使和課本上的不一樣，那也沒關係。妳只要開口說就好了。」

弘子張大眼，緊張地看著我，她猛點頭以表示同意我的建議。究竟是誰說的？說亞洲人的眼睛都小的成縫線。

她以一種信任、等待事情發生的眼神看著我，所以很快的，我們兩人就坐在愛蒙得弗里拉，弘子喝礦泉水，我喝黑啤酒。在那兒，她告訴我過去的傷心故事。

「把事情看得太嚴重是不好的，」去酒吧的路上我告訴她。「那是我學到的經驗。如果你看得太嚴重，事情就都毀了。」

弘子心碎了。

弘子在東京有一個男朋友，是她的同事。弘子與父母住，男方與他太太住。他們因工作的關係而有接觸。男的友善迷人，她則年輕寂寞。她很喜歡他，於是他們就開始了。

弘子與男朋友只能去賓館，按時數租用的賓館。她知道他不是自由身，她也知道他們在乎彼此。他有趣、仁慈，覺得她是一個漂亮的女人。他讓她覺得自己很特別，是一個她一直想要當的那種人。在賓館的兩小時裡，他會告訴她，他愛她，非常愛她。然後，他回家，回去太太身邊。

之後，有件事發生了。那件事讓她溼了雙眼，那件事重要的讓她不願意談。

「妳懷孕了，是嗎？」

她很快點點頭，傷心地同意。

「可是妳沒有小孩。」

她輕輕搖頭，頭髮覆蓋著她的臉。

「他回到太太身邊。」

她聲音極小，我很訝異她這時說話沒什麼口音。她不想那麼多時，她的發音其實還不錯。

「當然了。」

我握住她的手。

「弘子，別擔心，他會過著非常不快樂的日子。」

她感激地看著我，第一次對我微笑。

「答應我，以後避免與那種人在一起。」我說。

「好的，」她又哭又笑，「我答應你。」

「不與那種男人在一起？」

「不會，再也不會了。」

兩瓶酒加上十鎊計程車錢，弘子和我站在位於漢普斯黛招待家庭的外面。這是一棟空間很大、且獨立的房子，兩旁還有種滿樹的走道。只有一個老太太住在這裡，她因為怕孤單，所以出租房間給女學生。弘子確定老太太與她的貓都已經上床睡覺後，才偷偷摸摸地帶我上樓，進入她那頂樓改建的房間，有道月光從天窗照進她的單人床。

她洗澡時—日本女孩都這麼愛乾淨，總是先洗澡，然後穿褲子上床—我想，弘子與其他學生還有一個很不一樣的地方。

大多數學生是來倫敦找樂子，但弘子是來尋找愛，或者，她是來逃避愛。

我知道，她對我的感覺不會像對那個在東京領薪水的男人，而她也不可能像我太太般擁有我的心。但即使如此，我們還是可以給彼此一點溫暖。今晚似乎不悲哀，事實上，不知道為什麼，今天還挺完美的。

她說：I'm very exciting。

她是想說：I'm very excited。

很明顯的，這是一個常犯的錯誤。我有許多學生會說：I'm very boring。他們想說的應該是：I'm very bored。日文一定有什麼地方讓他們容易犯這種錯誤。但我喜歡，喜歡這種錯誤。

I'm very exciting, too.

在地鐵裡，恐懼的感覺突然襲來。

剛開始，胸口是一陣刺痛，然後身體開始發冷，背後涼颼颼的，我以為只是另一次假性心臟病。

結果比那更糟糕。

我趕在那位仁慈的老太太起床之前，搭地鐵黑線逃離漢普斯黛。那時我站在擁擠的車箱裡，拉著吊環，突然，我開始呼吸困難，就像一個潛水者在深水下猛然發現自己剛吸掉最後一口氧氣。

慌張。

真的，我感到恐懼，冷汗直流，不能呼吸。我真的不能呼吸，對四周的人群、黃色車燈、地道裡的空氣，甚至頭上城市的重量，都感到極度恐懼。

我被困在裡面了。我想哭，想叫喊，想狂奔。可是我做不到。我得快點離開這裡，可是放眼望去，我找不到出口。

咆哮似的恐怖。眼睛因汗水與淚水而刺痛。我覺得我已經窒息，已經摔倒，而其他安靜、不寬恕人的旅客都在注視我，似乎看穿我靈魂中的裂縫。我的臉皺成一團，我閉起眼睛，抓緊老舊的皮環，直到手關節泛白。

我掙扎到下一站，然後搖搖晃晃地走出車箱，隨著手扶梯來到充滿亮光和空氣的地面。我吸一口滿滿的空氣，等顫抖停止，我才慢慢走回家。我的家離這裡還有幾哩路程，我得走一陣子。街上擠滿上班的人潮，而我跟他們的方向相反。

在回家路上經過海貝利地，喬治張正站在一小塊草皮上。

他的臉看起來又老又年輕，站得筆直。他沒看見我，大概也看不見其他東西。我站定看他緩慢地運動。他的每一個動作看起來都是輕輕軟軟的。

然後我想起，我這一輩子從未見過如此平靜的人。

「我要你教我，」我告訴喬治，「我要學太極拳。」

我們在霍洛韋的李將軍好吃田納西廚房吃早餐，喬治點了雞翅膀與炸薯條。你會以為喬治這樣的人會像李將軍般避免吃速食，那你就錯了。喬治說他愛極了李將軍的簡單食物。

「教你太極拳。」他的口氣不帶疑問，但也不像同意。

「我必須找些事情做，喬治，真的，我覺得我的世界在崩離。」我沒說出心裡真正的困擾，我只說我想要平靜，想要像他一樣。別人大概很難想像，我有多厭倦現在的自己。

「我必須靜下來，」我繼續說，「冷靜下來。現在，我無法放鬆睡覺，有時根本不能呼吸。」

他聳聳肩。

「太極拳對放鬆，對抒解現代生活的壓力，情緒控制是很好。生活是忙碌。」

「是的，」我說，「喬治，生活很忙碌，不是嗎？有時，我覺得我好老，身體每個地方都痛，沒力氣。我害怕，真的害怕，說不上來為什麼，我覺得自己快被淹沒了。」

「你還在想念太太。」

「是的，喬治。我覺得每件小錯誤都是個大災難，你知道我在說什麼嗎？我的情緒失控，常常想哭。」我假裝笑了一下，「我快要發瘋了。幫我，喬治，請幫我。」

「太極拳對你剛說的緊張、疲勞特別有用。」

「那正是我需要的。」

「但是，我沒辦法教你。」

我感到絕望。我好不容易鼓起勇氣要求他，沒想到他會拒絕。好一會兒，我只是瞪著他咀嚼雞翅膀，期望他能解釋他為什麼不能教我。但是他沒有再開口，顯然他已經說完了。

「為什麼？」

「時間太長了。」

「但我常看見你在教人，常看見有人跟你一起。」

他笑了。

「總是不同的人，不同的男人，不同的女人。來了幾個早晨，或許多個幾天，然後就不來了。因為西方人對太極拳沒有耐心。」他越過雞翅膀看著我，「太極拳不是藥丸，不是魔術。任何人要練到有益的程度，必須花很長的時間。很長的時間，但西方人沒有時間。」

我幾乎要脫口跟他說，我有的是時間。但我把話吞了回去。

因為我突然想像自己與喬治在公園，穿同樣的黑色鬆衣褲，優雅地練著慢華爾滋，與此同時，擁擠的地鐵正以百哩時速在我們腳底下穿梭。這好像有點滑稽。

喬治是對的。有些舞你學不來，那種靜態、平和、優美。我在跟誰開玩笑？

我沒那種天份。

16

弘子要回日本過聖誕節。我們約在柏靈頓的一棵大聖誕樹下，然後搭希斯洛快鐵到機場。

跟她說再見有點奇怪。我很高興自己對她的離去有點憂傷，雖然，那憂傷還不是很強烈。

弘子離開後，我在第三航站繞了一會兒。我不想回家。機場飄著真實的喜怒哀樂，情侶的分手與重逢，家人的分離與團圓，機場充滿擁抱、歡笑與眼淚。其中，離境與入境大廳又不同，入境時間是無法預計的，你不知道何時該說「哈囉」，但離境，人們卻可以決定何時說再見。

我還注意到入境大廳另一個特殊的景象：許多年輕女孩來英國學英文，她們有著黑髮和棕色眼球，帶著ＬＶ包包，如潮水搬湧進。

奇怪的現象。

那裡有一堆等得不耐煩的司機，他們是從二十幾所不同學校派來接機的代表，他們聒噪，拿著牌子，等待下一班大型飛機從大阪、北京、漢城或任何一個不過聖誕節的城市飛來。

第三航站的旅客全是亞洲人。其他航站可以看到北歐或地中海地區來的旅客，但是第三航站，天天都是亞洲人。

第一次覺得，我實在沒道理再感到孤單。

我看著這些年輕女孩，她們其中有些看來憂懼、害怕受傷害，我為她們感到心痛。

頭頂上方，傳來平安夜普世歡騰的音樂。

奶奶一開門，我馬上就聞到瓦斯的味道。我衝進廚房，味道更濃了。

「艾飛？！」

有一個爐火沒點燃，屋內充滿瓦斯。我咳得喘不過氣來，趕緊把窗戶全打開。

「奶奶，」我喘著氣說，「妳要多加小心。」

「我不知道怎麼會這樣，」她慌亂地說，「我在做……不記得了。」她眨著泛水的藍眼睛，「別讓你媽媽知道，艾飛。要不然你死定了。」

我看著奶奶，憂慮的臉，不相稱的妝。我走過去擁抱她。在羊毛衣底下，她小的像個易碎的孩子。

「我答應妳，不會跟任何人說。」我知道她擔心我父母會認為她不能自己單獨居住，我知道她害怕哪天自己會被迫離開這個屋子，搬到另一個家去住。「拜託，不能再發生了，好嗎，奶奶？」

她放心地笑了。她又開始自言自語地替我們兩個人泡茶，我看著她在水燒開後仔細地把瓦斯關閉。我為她感到難過，她的熱心、明智與好奇，什麼時候會變成一團糊？同時，瓦斯也使我害怕，我害怕有天我會站在門外，站在沒人應門的房間外聞著瓦斯味。我突然想起來這裡的目的。天啊！我也快得老年癡呆症了。

「奶奶，妳的樹呢？」

「親愛的，在小房間裡，箱子上寫著『聖誕節』」

奶奶愛過聖誕節。如果不是因為身體的關係，她會在八月中就把聖誕樹擺出來。雖然她每年都和我們一起過節—今年只有母親和我—她仍然喜歡有自己的樹。

我仍然記得幼年時與奶奶一起過節的情形，那時她還住在東區的老房子裡，就是《有橘子的聖誕節》裡的房子，一個總是擠滿姑姑、叔伯、堂兄弟的地方，後院有雞跑來跑去，前廳有直立式鋼琴的房子。

現在，老房子不在了，爺爺不在了，連父親也不在了，而奶奶獨自住在這間白色的小公寓裡，她把她的一生都擠進這裡。我在一個上頭註明「聖誕節」的破箱子裡找到樹、天使燈和各種裝飾，奶奶興奮地看著我將它組合起來。

「可愛。」她說，「銀色看起來意義非凡，對不，艾飛？」

「是啊，奶奶。」

當我伸手將天使擺上樹頂時，我突然感覺背部不太對，我痛得彎下腰，天使還在我手中。

我坐在沙發上等刺痛消失，奶奶再去泡茶。那時，我終於領悟出奶奶對假聖誕樹的情結。

聖誕樹像人與人之間的關係，真樹當然好看，不過麻煩多，垃圾也多。

你可以舉出許多喜愛假樹的理由。

而唯一不能否認的一點是，假樹的麻煩比較少。

我會和凡妮莎做愛是因為有天她與維托站在校外發傳單。

一群趕著買聖誕禮物的人不理會他們的傳單，所以凡妮莎把傳單摺成紙飛機射向人群，維托則欣賞地看她。

「與最好的一起學習！」她叫，一邊射向某個中年商人。「Estudia en Churchill's! Studia alla Churchill's! Studieren in Churchill's!」

「凡妮莎，妳在做什麼？」我一邊問她，一邊搓揉背部。

「招攬新學生！」她大笑，「Nauka w Churchill's! Etudiez? Churchill's!」

「不要鬧了。」我笑著說。

「可是，沒人感興趣。」她跺腳，悶悶不樂地嘛著嘴，把手插在腰部，「是聖誕節耶。」

「跟平常一樣，用發的，」我說，「拜託。」

「那你要給我什麼好處？先把考試題目給我看？」

「我請妳喝杯酒。」凡妮莎是那種你會認為嘲弄是必然的女人。「是聖誕節，我請你喝

杯德國酒或什麼的。」

「什麼都行，除了德國酒。」

「我喜歡德國酒。」維托說。

後來我與凡妮莎到愛蒙得弗里拉喝酒。令人意外地，她沒有跳舞，沒有與人調情，也沒有對著熟人大叫。她告訴我，她今年不想回法國過節，因為她父母離婚了，她不知道跟誰過節比較好，但留在倫敦卻更糟糕。

「怎麼說？」

她看了我一下。

「因為我不會與我的男朋友在一起，」她說，「他跟他的家人在一起。」

後來我在凡妮莎的公寓看見他的照片。

凡妮莎的公寓位於高級住宅區，是一間小巧美麗的公寓，月租起碼一千英鎊。我看著她與男朋友的照片，心想這間公寓應該是這個身材不錯、四十來歲、中指戴著閃亮戒指的男人在付錢。

「這是他每年最難過的日子，」凡妮莎說，收起他們兩人在某間鄉村俱樂部的相片，「他得和他的家人一起過節，」她放好照片，「他的孩子，還有她。他真的不想再跟她睡在一起。」

我與凡妮莎上床後，她心情稍微好些。不是因為我的做愛技巧，而是她認為有些可笑。從各方面來說，她與優美或弘子都不同，她的頭髮、胸部、臀部、皮膚讓我異常興奮，我差點說出些輕率的話，幸好，凡妮莎的及時微笑阻止了我。我知道她不太看重今晚，因為她心中已經有人。

我完全可以理解，所以不會受傷。

稍後，她埋在枕頭中哭泣，我大可以不做任何表示，但我沒有，「親愛的，怎麼了？怎麼了？」因為我知道她的眼淚不是為我而流。

黑暗中，我躺在一張陌生的床上，想起優美、弘子、凡妮莎，也想起希斯洛的入境大廳。

我知道自己為什麼會被入境大廳的女孩吸引，再爛的醫生都知道，那不是因為我依戀那樣的女孩。

那是因為她們都離家很遠。

即使她們在這裡有許多朋友，即使她們過得很快樂，但私底下，她們其實非常寂寞。當夜晚來臨，她們不需要趕著回家，因為沒有人在等她們。

她們是一群寂寞的人。

好笑的是，這讓我想起自己。

17

我對我太太很忠心，即使在別人的床上，在那些我聽不懂她們語言的女人的床上，我對太太仍舊是忠心的。

因為沒有人能讓我動心，一個也沒有。

我認為，愛一個已經不在的人，也是一種福氣，只要你習慣就好了。愛一個不在的人，至少你能遠離傷害，因為沒有東西能再傷害你，沒有東西能再被奪去，這樣難道不好嗎？至於那些無意義的關係，我有許多話要說。

我和那些女人之間沒有謊言，我們見面的時刻總是很溫馨，我們不會彼此厭倦，不會老在尋找分手的暗示。我們之所以在一起，是因為我們想要在一起。大多數婚姻中的千刀萬剮，在這種關係裡找不到。

有誰可以說這種關係沒有意義？

我喜歡你，你很好。

這樣沒意義嗎？

或者，這就是你想要的？

從凡妮莎給我一個蘋果後，情況開始變糟。

有人敲教職員室的門，哈密栩去開門，他轉頭用誇張的表情看著我。我越過他的肩膀，看見凡妮莎的笑臉與金髮，她手握著一個蘋果。送一顆蘋果是很凡妮莎的動作。純正的愛意，但又有點嘲弄。

「送給老師一顆蘋果。」

「很好。」

她輕吻我的唇，像在開玩笑，她是在開玩笑。這時麗莎．史密斯走上樓梯，對眼前的景象感到不悅。凡妮莎轉頭笑著跑走，麗莎則瞪著我看很久，希望我死在路邊。然後她走進走廊另一邊的辦公室。

回到辦公室，哈密栩與藍尼也在看我。哈密栩嘀嘀咕咕，我不太確定他是在說：「你要小心點，同伴。」意指凡妮莎；還是在說：「你要洗那個，同伴。」意指蘋果。

藍尼則很直接。

「凡妮莎？同伴，你沒有多次出入境簽證吧？你沒全速前進新歐元隧道吧？」

我還來不及騙他，電話就響了。是麗莎．史密斯要我到她的辦公室。

「天啊，」藍尼繼續說，「她會把你的私處拿來當耳環。」

藍尼擠眉扯嘴，眼裡隱藏著一絲羨慕。

我不是藍尼色狼。我告訴自己。我不是。

「藍尼，我不懂。你殺了人，沒有人會說什麼。但我就會被揪出來。為什麼沒人說你？」

「為什麼？因為我從來不跟我的學生有一腿。」

「什麼？」

「那都是胡說八道。我承認，我是滿口胡言亂語。但我不會真的將我覆蓋苔蘚的老東西放在任何靠近這裡的地方，開什麼玩笑？在現在這個時機，我的工作可比我的老皮值錢。」

「從來沒有？」

「一次也沒有。有啦，去年聖誕節，有個可愛的塞克女孩讓我把手放進她的胸罩裡。這滿手的謙虛是唯一一次的滲透。」

「我不相信。」

「真的，同伴。再說，這些年輕漂亮的女孩怎麼會要我這樣的老傢伙？去吧。」

所以，他說得是實話。我確實不像藍尼色狼。我比他更壞。

我離開辦公室時，聽到走廊底端傳來水桶敲擊的聲音。她在那兒做她的工作，破裂的口袋裡塞著《心是寂寞的獵人》的潔姬．戴正在拖地板。

我分不清她是在看空氣，還是看穿了我。

「性帝國主義，」麗莎．史密斯說，「就是那樣，就是那個意思。」

「我不知道妳在說什麼。」我有點臉紅。

「喔，你知道我在說什麼，」她回答，「先是優美、弘子，現在是凡妮莎。我看到她給你金蘋果。」

我大吃一驚。我和凡妮莎是被逮到的現行犯，可是她怎麼知道優美？又怎麼知道弘子？

「學生之間不會說閒話嗎？」她解了我的疑惑。「不要假裝聽不懂我在說什麼。你已經侮辱了這個學校，請不要再侮辱我的情報。」

「好的。」我說，「但是，我不認為我做錯了什麼。」

麗莎．史密斯愣住了。

「你不認為你有錯？」

「不認為。」

「你不知道老師是一個必須被信任的角色？」她翹起腳，很不耐地用軍鞋敲著桌子，「你不知道你正在利用你的角色嗎？」

我從沒這樣想過，我一直以為我們是平等的。我知道我是他們的老師，她們是我的學生，可是她們不是小孩子，而是成熟的女人，甚至還比我成熟。再說，她們年輕，精彩的生活正展現在她們眼前。是的，我是拿粉筆的人，但她們有的是時間，她們還有許多年要過，我認為那讓我們立於平等的地位，年輕將一切都拉平了。年輕有它的力量，有它特別的地位。但我什麼也不能向校長說。

「她們年紀夠大，知道自己在做什麼。」這是我的說法。「我不是拐誘嬰兒的人。」

「你是她們的老師，你有你的責任，而你用最糟的方式濫用了那個角色。」

我以為她要當場開除我，可是她沒有。她的臉色逐漸緩和下來。

「我知道你以為我是個不能容忍別人快樂的老戰斧。」她說。

「沒有，沒有。」

其實，那正是我的想法。

「我瞭解肉慾的誘惑，我以前參加過威特島音樂節，我知道人們聚集在一起會發生什麼事。但是我不能寬恕老師與學生之間的性關係。再發生的話，你就得離開，知道嗎？」

「當然。」

但我心裡卻想著：妳阻止不了我。這個城市充滿尋找友情、羅曼史、英文家教的年輕女孩。雖然校長下了最後通牒，但我仍舊告訴自己：沒事的，我不會再寂寞，我沒做錯什麼。

我喜歡你，你很好。

這到底有什麼不對？

止痛藥對背痛已經無效了，所以我去看醫生。剛開始，他認為是心理作用，就像我的心老是感覺到消化不良的烤肉串般，直到我告訴他奶奶聖誕樹頂端的天使，他才叫我脫衣服進行全身檢查。

然後他說，我的背沒辦法治療。

「下背部位，難搞。」他說。

我在回家的路上碰到喬治張。他正從李將軍店裡提著食物出來，正要回去上海龍。他看我一眼，問我怎麼回事。

「我的背受傷了。」我告訴他，「幫我奶奶裝聖誕樹時受傷的。」

他要我跟他回餐館，我說我得回去上班，但他假裝沒聽到—這是他太太慣常的行為。當我們回到餐廳，他叫我站直，他把手放在我的下背處，奇怪的是，他的手並沒有真正觸摸到我的身體，但我卻可以感受到他手掌的熱氣。他沒觸碰我的身體，但我可以感受到他手的熱度，這怎麼解釋？

他要我稍往前傾，然後輕輕地用手背連續敲打下背。我照做了。之後，一件無法解釋的事發生了。

背痛不見了。

「發生了什麼事？」

他只是笑。

「你是怎麼做到的？」

「繼續做這個動作。」他稍往前傾，用手拍打背部。「每天做幾分鐘，不要太用力，好嗎？」

「這，這是什麼？喬治？」

「簡單的氣功。」

「什麼是氣功？你是指太極的極？是一樣的東西嗎？」

「任何有關極的動作都是氣功。可以保持健康、治病、防身、啟迪心靈。」

「啟迪心靈？」

「那就是氣功。你記得極吧，你說你沒有極，記得嗎？」

我覺得有點愚蠢。「記得。」

「好些了嗎？」

「好多了。」

「終究你是有點極吧。」

他在取笑我。

「我猜我是有點極。」

「那也許你應該星期日早晨到公園來。」

「你要教我？」

他咕噥著：「我教你。」

「是什麼讓你改變主意？」

「星期日早晨。別太晚來。」

今年，家人教給我聖誕節的真正意義：生存。冗長無聊的聖誕節，讓我在一堆百視達影片，以及最後一分鐘從商店搶來的戰利品之中，有機會好好想想我的生活。

性規範不停地在邱吉爾的走廊上巡視，我想在工作場合遇見新面孔恐怕有點困難。所以我決定私下進行。我在一本雜誌上的個人服務欄登廣告。

需要良好的英文能力？

資深英文教師找學生。

我們可以互相幫助。

我放上辛納屈的〈My Funny Valentine〉。

然後等待。

18

我在美好的日子裡開始做一件全新的事，這種感覺很好。

薄霧閃爍在粗短的草皮上，頭上原本老是蒙層灰的天空，今天被一望無際的藍取代，雖然空氣是冷的，但陽光卻很刺眼，喬治與我瞇著眼對看。

「太極拳，」他說，「意指極高的拳頭。」

「聽起來有點暴力。」

他不理我。

「全身放鬆，輕慢移動，每個移動都要按照武術動作，知道嗎？」

「不太懂。」

「西方人認為，太極拳很美、很溫和，對不對？」

「對。」

「但太極拳是一套自身防衛系統。每個動作都有它的道理，它不是表演。」他雙手劃過空氣。「擋住，出拳，攻擊。踢，但平滑，永遠保持平滑，永遠保持輕軟，知道嗎？」

我點點頭。

「太極拳的好處是養身，它可以對抗壓力，幫助血氣循環，對抗現代社會。太極拳不是世界上最軟的武功。」他的黑眼睛開始發光。「是最強的。」

「是。」

「這是陳家派。」

「什麼派？」

「陳家派，不同派系來自不同的家族，例如楊派、吳派。這是陳派。」

我不明白他的話。軟弱和強硬怎麼會同時並存呢？為什麼這麼溫和的東西會是一種拳擊？

喬治踏離我一步。他穿著黑色軟質料的中式衣褲，平底黑鞋，我則穿耐吉慢跑運動服。他兩腿張開與肩同寬，力道平均分佈全身，兩臂分垂兩側。他的呼吸深沉而均勻。他的身體看起來鬆弛，但又堅定的不能被移動。

「像山一樣站穩在天地之間。」他說。

像山一樣站穩在天地之間？沒問題，尤達。這種說法照理會困擾我，但我發現我如果真正努力去試，那其實是一件自然不過的事。我試著像喬治那樣站立，我閉著眼，生平第一次專注在呼吸上。

「打開你的關節，」喬治告訴我，「放鬆你的身體，將你的重量沉入地心，保持呼吸，永遠保持呼吸。」

就像潛水，他們告訴你的第一件事就是永遠保持呼吸。

笑聲在我們背後響起。

「看這對好笑的人。殺了我吧！來替彎腰者跳舞。」

他們有三個人，是星期六夜晚的遊蕩者。他們手握有泡沫的黃罐子，臉色蒼白像凝固的牛奶，才二十出頭，就已經有酒鬼的標準肚子。他們穿著連帽運動衣，足蹬球鞋，頭上還戴著棒球帽。現在想來，其實有點好笑。

我突然氣憤起來。這些白痴，他們讓我想起黛安娜男子綜合中學那些低能兒，結果我像個在發飆邊緣的老師般對他們叫囂。

「沒地方去嗎?走開，滾蛋，還有，把那笨頭笨腦的表情拿開你們的臉。」

他們臉上的表情凝固了，逐漸變黑。他們對望一眼，然後向我走來，手裡握著酒瓶，牙齒緊咬。

喬治向前擋住他們。

「拜託，」他說，「別惹麻煩。」

其中塊頭最大的那一個停下對他的同伴笑笑。

「一點麻煩也沒有。」

他的粗手往喬治胸口打去，而這個老人只是順著他，轉換重心到後腳，然後不費吹灰之力就截住大塊頭的手。大塊頭的粗手沒碰到喬治，他只會往前亂抓，完全失去重心。喬治一轉身，輕輕抓住大塊頭的手臂，輕易把那個年輕人摔倒在地。大塊頭有點像條沒皮的大蟲，喬治只要輕輕一拍，他就滾到一旁去了。

「天啊。」我說。

喬治想幫那人爬起來，他生氣的摔開手，臉上的羞愧多於受傷。我不明白喬治如何能只用一點力氣就把大塊頭撂倒，也不明白喬治和我為什麼連圖個清靜的權利都沒有。

我以為事情會更糟糕，但那三個人已經偷偷溜走了。

我看著喬治，第一次領悟到我不是在上跳舞課。我們互相看著對方。

「要練多久才能像那樣？」

「用功練習？」

「是的。」

「很用功？」

「很用功。」

「大概十年。」

「十年？你在開玩笑。」

「好啦。也許不是十年，大概二十年。記住，太極拳不是為了外在的力量，而是內在的力量。不是肌肉的力量，」他輕打三下胸部，「是內在的力量。」

然後他給我一個耐心的微笑。

「你還有許多要學。」他說，「最好開始吧。」

我在等來自伊芭尼瑪的女郎，等到卻是來自艾塞克斯的女郎。潔姬．戴站在我的門口。

「艾飛？嗨。我們在電話裡談過？有關廣告？學英文？」

我快昏倒了。是的，我們的確在電話裡談過。我登了廣告後，只有幾個人打電話來問，潔姬是其中之一。她打電話來，驚喜地發現是她在牛津街的老朋友要教英文。不過，當時的我以為她是替別人打電話來詢問的。

我是這麼以為，但我並沒有問她。

潔姬經過我走進門時，我幾乎可以看到她需要染色的髮根。她像平時一樣穿著整齊，好像要去赴約。不知為什麼，她表現得好像約會的地點就在這裡。

我們在電話裡的對話很短促。真的是你嗎？是的。世界好小！一小時收多少錢？上課彈性大嗎？我告訴她我收費合理，而且彈性很大。她向我道謝，說明自己會考慮。我發誓，我真的以為她是在替外籍朋友打聽。

現在，我們互相看著對方。潔姬對我微笑，至於我，則有個大問號徘徊在頭頂上。

「真高興是你。」她笑，「真巧，我真不敢相信我的好運氣。」

我請她進客廳，心想一切麻煩終究是值得的。你只要有耐心，鼓聲總會在某時某刻擊起。

潔姬是下午的時候來的。那天西區正在大減價，母親帶奶奶去逛街了，家裡只有我。那天潔姬穿著緊身的連身裙以及細帶子的鞋，像個十七歲女孩，她坐在沙發上，謹慎地交叉雙腿。

「是誰要上課？」我問她。

她有點驚訝。

「對不起，我以為你知道。」她停頓了一會兒，「是我要上課。」

「可是，妳為什麼要學英文？」

「以前你跟我說過你教英國文學？教外籍學生英文之前？」

我小心地點頭。是的，潔姬知道我過去光榮的教書生涯。但是我以為她知道，我登的廣告與過去在黛安娜男子綜合中學所教的東西毫無關係。我以為她之所以來這裡，只是為了在把我介紹給她的巴西夥伴之前，先瞭解一下細節。

我要教的，是英文為其第二語言的學生。

「我要的，」她高興地繼續說，「就是英國文學家教。我需要A級英國文學。這樣我就可以回大學，可以再開始上課。」

「我想妳誤會了。」我說，「我打算教的是想學英語的外國學生，不是要念英國文學的學生。抱歉，我真的以為妳是替別人打電話，譬如巴西人？」

「巴西人？為什麼這樣說？」

她的笑容不見了。

「你沒資格教A級英文？」

「我是有資格，但是……」

「我已經三十一歲了，過了聖誕節就三十一歲了。」

「嗯，生日快樂。」

「謝謝你。十二年前，我在學校的成績很好，全A，是班上前幾名。可是那時，所有的事都得暫停。」

這已經超過我需要知道的。我站了起來，她還是坐著。

「我有兩科A，很好的成績。」她用充滿挑戰的眼神看我，「我不笨，如果你是那樣想的話。而且我有錢。但是我需要A級英文，我要再回學校。」

「那很好，可是……」

「我知道我要修什麼。我知道我要讀大學。如果我有A級英文，我就可以在格林威治大學主修管理。」

我瞪著她。

「妳可以去上夜校。」我告訴她。

「不行。」

「為什麼不行？」

「我需要家教。我需要彈性的上課時間。」

「為什麼？」

她的臉黯淡下來。

「私人因素。」

我講話的語氣很堅定，命令式，像個老師。想來有點諷刺。

「潔姬，真的很抱歉，我令妳失望了。但我不教A級英文，不只不教妳，也不教別人。」

妳不需要一個只是教妳說英語的老師吧？」

她沒有起身的意思。我可以看出她非常失望，我為這位穿著整齊、教育不足的女人感到心痛。

我喜歡她，我一直很喜歡她，我只是不希望她當我的學生。

「如果妳願意接受一個老人的建議，潔姬，資格證明是一張無意義的紙。」我儘量表現友善，「到頭來，那都是沒用的，相信我。」

「因為你有，所以你當然可以這麼說。但對我來說，它不是一張無意義的紙，而是在這個社會出頭的方法。」

此時，凡妮莎慵懶的聲音從樓上飄下來，「艾飛，回到床上來，我等會兒要走了。」

通常我不在家裡做這種事。

潔姬．戴站起來，用像是第一次見面的表情看著我。

「你是哪種老師？」

有時，我也懷疑，我到底是哪種老師。

新年第一天，父親來拿最後一些東西，他來收拾留在這房子裡的最後痕跡。這應該比我想像得更受傷。

他雇來的破舊白卡車停在屋外，讓整個事件看起來像「歹戲拖棚」，每個人都希望趕快結束。

母親連躲都不想躲。父親來時，她、喬伊絲與其孫子留在外面的花園。她沒特地跑去躲起來，她與朋友留在花園。

當父親吃力地把箱子往樓下拖時，我站在客廳透過玻璃窗看我的母親和喬伊絲祖孫。我擔心喬伊絲會突然闖進來質問父親：

跟你住在一起的年輕女人是誰？年紀多大？你們會結婚嗎？會養小孩？你認為自己是聰明人，還是愚蠢的老頭？這女孩是要掏金的人嗎？你不只是要遠離過去？

但她沒有。喬伊絲跟我母親待在花園種水仙花，搬動樹木，準備下個季節的種子，兩個小孩則在輕輕刮除長青樹與松葉樹上的晨雪。

「一月。」喬伊絲對我大叫，「花園最忙的月份，這是該辛勤努力的時候，早起鳥兒都是準時的。」

「早起鳥兒有蟲吃，喬伊絲。」

「你知道我的意思嘛，先生。」

照喬伊絲的說法，一年到頭都是花園最忙的時候。我可以聽見她輕聲跟母親說話，雖然我聽不到她們在說些什麼，但我可以確定她們不是在說我父親。那有種勝利的感覺。

我轉頭看著父親搬最後一箱東西，那是一箱包著塑膠套的唱片，有《Four Tops Live》、《I Was Made to Love Her》和《'Fleein' Bluesy》。

「還在聽那些 baby baby 的東西不會太老嗎？」我諷刺他。

「艾飛，享受點小樂趣永遠不會嫌老。」他說，「你相信人要享受點小樂趣吧？」

我是如此恨他，並不是因為我不瞭解他，而是因為我太瞭解他。他是我的父親，永遠都是我的父親，我害怕我體內有太多的他。

不可否認，我們的生命相棲。那些夜晚，床邊擺著行李箱，枕邊的女人說著聽不懂的夢話，還有那些偷偷摸摸的謊言，那些將就的事，那些你心裡清楚不是最好的事。

是的，我相信小小的樂趣，我現在也只能相信這些事了。而令人害怕的是，不論是我還是我父親，那些租來的公寓是我們現在知道的去處，也許是我們唯一能夠得到的去處。

然後，他走了。他跌跌撞撞地走出前門，而屋後則傳來女人的笑聲。

薯條只能與餐一起賣

19

潔姬來時，我剛好與喬治在公園。母親請她進來，招待她喝茶吃點心。母親總是隨便請人進來，到現在還沒被謀殺真是個奇蹟。

「她在客廳，」母親對我說，「很好的女孩。穿著可能有點……辣。」

「拜託，媽。」

「她說她有一篇文章要讓你看，」母親輕快地說，「我以為她是你的學生。」

「媽，我的學生都是外國人。」

我從客廳的門縫看她，她坐在沙發上，穿著無肩帶上衣、小窄裙和高跟鞋，鞋跟細到可以戳出人的眼球。她正在小口喝茶，看牆上的掛畫，那是幅黑白的工人照片，是我父親有錢後收集的藝術品。

我想要逃跑，但又擔心她會跟蹤我，所以不如現在講清楚，做個了斷。

「嗨！」我走進客廳。

「喔，哈囉。」她笑著做勢要站起來，不過她馬上發現膝上的茶和餅乾阻撓了她的動作。「很抱歉打擾你，但……」

「沒關係。我以為我解釋清楚了，我不是英文老師。」

「喔，你是說得很清楚，你是一位英文老師。」她開玩笑地說，「只是你不想教我。」

她把茶和餅乾放到咖啡桌上，然後把身旁的公文信封遞給我。

「這是什麼？」

「有關《奧賽羅》的一篇文章。」

「《奧賽羅》？」

「就是講性愛妒忌。愛得太多，但不明智。特斯提夢娜，伊阿古，那些人。」

「我知道它。」

「對不起。」

「有關《奧賽羅》的文章？正是我現在需要的。」

「可以幫我看看嗎？」

「這……」

「拜託，」她說，「我非常想回學校，我是說真的。」

「但我不……」

「這方面我做得很好，真的，因為我喜歡，我也不知道要怎麼說，書讓我覺得自己可以接上這個世界，那很神奇。給我一個機會，好嗎？在你決定拒絕我之前，可不可以先讀這篇文章。」

我看著她，心想這個艾塞克斯跳舞女王會明白什麼是「愛得太多但不明智」嗎？

「我真的抱歉就這樣闖進來打擾你。如果你讀了我的文章後還是決定拒絕我，那我不會再打擾你。」

我同意了，為的是可以找到藉口回絕她。我送她出門時，她還向我母親道再見。我同情潔姬．戴，她不知道，這跟教書根本無關。

「多好的女孩。」潔姬走後，母親說。「雖然瘦了點。但她已經會講英文了，不是嗎？為什麼還需要你？」

「她不會講英文。」

愛蒙得弗里拉來了一個新酒保，是個留著紅色短髮的蘇俄女孩。優美告訴我那個女孩新學期會到邱吉爾上課，她將是我的學生。

到目前為止，這些用來自我介紹的開場白似乎已有一套公式：你從哪裡來？怎麼會想來倫敦？簽證有困難嗎？（西歐或日本來的學生可以不問）想念媽媽做得蘋果派或炸蝦？

歐嘉與其他人的說法幾乎一樣，倫敦比他們想像中擁擠，消費高於他們的預期，即使是有錢人家的小孩，看到房租都會退縮，更何況是對來自前共產國家的女孩了。

關於住宿問題，我幫不上忙。我自己也還在找地方，找可以付得起的地方，但我不會跟她聊這些私事。但這類標準的抱怨，正好給我喜愛的遊戲一個好開始。

「這個城市不便宜，」我坐在吧檯，身體微向前傾。「但是有許多免費的東西。」

「真的嗎？」

「天啊，是的。不過妳得知道去哪裡找。從公園裡櫻草花山頂望去的倫敦市景，里奇蒙公園裡的皇家梅花鹿，荷蘭公園的雕像，走在蛇紋石……」

「蛇紋石？」

「那是一個湖，位於海德公園，有許多寬廣沙徑可以騎馬，在肯辛頓花園旁。」

「黛安娜住的地方？」

「就是那裡，她住在肯辛頓皇宮，少有的建築。至今還有人放花在門口。再來是白金漢宮旁的聖詹姆士公園，那真是個漂亮的公園。漢普特斯希斯旁的肯伍德宅邸，收集了許多林布蘭與特納的畫，夏天還有古典音樂會。莫札特飄揚湖畔，漢普特斯希斯的日落……」

「兩品脫，親愛的，」吧檯另一頭傳來叫聲。「當莫札特給你一個空隙時。」

她轉回來時，我改變了話題。

「妳不能不去哥倫比亞街上的花市，英國圖書館的迴廊。」

「我喜歡披薩。」

「妳還可以到奧卑利觀看審判，到國會大廈參觀總理問答時間。磚巷與波多貝羅的市集，士美非路的肉市，國家畫廊裡的畢卡索和梵谷。」

那些聽起來都很有趣，它們是很有趣，也是倫敦迷人的地方。我沒有騙她，那些都是真的。「在這個城市，你可以免費得到你想要的東西。你只要知道去哪裡找。」

她走開去倒O'Grady's，回來時我告訴她哈洛斯百貨的美食街常常可以免費吃到很好的小吃。她聽了很興奮，我原本以為她在家鄉被餓壞了，後來才弄清楚原來是高興有機會碰到多迪法伊德的父親。我也告訴她在Notting Hill的園遊會，索美塞特大廈的噴水池，泰晤士河的 Embankment 夜景。

我們談得很愉快，直到有人按鈴點東西，我才想起幾個小時前就該到機場接弘子。

入境大廳已經空空無人，只有弘子仍在我們約定的地方等待。她的等待充滿日本味，樂觀而冷靜。我嚴重的遲到了，所以在空洞的走廊上奔跑，衝上前擁抱她，滿懷羞愧與解脫。我真希望她等得是一個比我好的人。

經過長程飛行，她已經很累了，但我們還是決定進城去吃點東西。我們跳進希斯洛快車，很快到達小紐波特街上的麵店。

弘子開始露出疲態，鏡片後的眼睛因缺乏睡眠而紅腫。她買了禮物送我，是兩雙筷子，大的是男人用的，小的是女用筷，三十年的女性主義顯然還未影響到日本的筷子工業。除了筷子，她還送我一組茶具，包括一個茶壺和兩個小杯。最後則是一瓶在免稅商店買的 Calvin Klein Escape 古龍水。

「謝謝妳的禮物。」我說。弘子正經的態度讓我也用正經的態度說話。「我會珍惜它們。」

她開心地笑了。「不客氣。」她輕輕點頭。我一點也沒想念過她。

我們拖著行李到第五街的義大利酒吧前準備叫車，就是在這裡，我見到我的父親。剛開始，我還以為我是在幻想，我老爸穿得像《週末狂熱》裡的約翰．屈伏塔。他穿著白色三件式西裝，閃亮的西褲，深色襯衫，粗跟鞋，沒打領帶。在其他城市，他大概會被逮捕，但在蘇活，沒人會瞧他一眼。

他走進義大利酒吧，然後他看到了我。

「艾飛。」

「這是弘子。」我說。

他與她握手。

「我在找莉娜，」他說，「我們剛去科芬園的一家俱樂部。」

「一九七〇年代的。」

「你怎麼知道?喔，當然，衣服。」

我不能在弘子面前對他不敬。

「她不在這裡。」我告訴他，「你們走散了，是不是?」

「我們有點爭執。」他搓揉他的頭髮。他仍是一個英俊的老頭子。「沒什麼重要，一些無聊小事。」

「發生了什麼事?」

「都是音樂。到處都是，DJ播放六〇年代的歌曲，八〇年代的歌曲。後來放Supremes的《You Can't Hurry Love》。」他看看弘子說。

弘子點頭微笑。

「莉娜說：『喔，我喜歡菲爾．柯林斯。』」父親搖頭，記起他冒瀆的行為。「我說：『菲爾．小豬．柯林斯?這不是菲爾．柯林斯，這是原版，黛安娜．羅絲跟她的配音團員。』

這是最好的幾張唱片之一。』她說她只聽過菲爾．柯林斯唱這首歌，而且誰在乎？只不過是流行歌曲。然後我說我想回家，她說她想留下來。」他似乎有點受到驚嚇。「後來她走了，不見了。她不在這裡，不在家。」他再度環視酒店裡的客人。「那我就不知道她在哪裡了。」

「你要喝杯咖啡或其他什麼嗎？」

「不用，不用。我最好再繼續找。」

父親跟我們說再見，他回到蘇活區，像個迪斯可鬼魂。

除了第一天，喬治與我再沒有遇過麻煩。我們每個星期日清晨在公園練拳，那些閒盪的夜遊者只會看我們一會兒，他們不會打擾我們。

這一切都得歸功於喬治，太極拳不是軟弱、靜止不動、娘娘腔的動作。他的動作散發內在的力量，醉鬼看看就會走開。

「你為什麼改變心意？」

「因為你很想學。」

我讀了潔姬的文章。一篇鬱悶的預言性文章，告訴你依亞戈的詭計、奧塞羅的憤怒、特斯提夢娜的無辜。她告訴人們《致命武器4》式的預謀，告訴人們一個關於妒忌、出賣與報復的故事，由梅爾．吉勃遜主演，而依亞戈則被逼到牆角。這次讀來有些個人化。

我可以料想到一個高中退學生會這樣寫。她引用一句話來作結：「一個對穿著得體的正經家庭主婦的警告。」我不懂那是什麼意思。

我為潔姬難過，但也慶幸自己不用再教類似的課。

她的文章沒有首頁，只附有一張名片，上面寫著「夢機器：傳統的清潔方法」以及一隻手機號碼。我可以等到邱吉爾學校開課，但我不想等那麼久。我想儘早聯絡到她。

我撥那隻手機，聽到她留言說自己現在正在柯克街的康乃爾畫廊工作。那裡離邱吉爾不遠，我決定親自送還這篇文章。

雖然只有十分鐘路程，柯克街卻像另一個城市，那裡的空氣中瀰漫著一股錢味。我原想把這篇文章留在康乃爾畫廊的接待處，不料卻正好碰到她。

她穿著藍色清潔衣褲，正在清洗窗戶。她看見我，愣了一會兒才走向我。

「你來這裡做什麼？」

「我來還這篇文章，我沒有地址。」

「我會去拿啊，在邱吉爾或去你母親家。你為什麼這樣看我？」

「我怎麼樣看妳？」

「我有自己的公司，」她說，「夢機器。我們在西區有許多生意。」

「誰是我們？」

「我，如果有需要的話，我會找另一個女孩。」她停頓一會兒，「怎麼啦？」

我不知道我是怎麼了？我只是突然理解為什麼回學校對她來說那麼重要。我第一次真正瞭解，她不像其他人只是在打工，這是她謀生的方式，這是她往後三十年的工作方式，這就是她的未來。

「以幫人家打掃謀生有什麼不對嗎？沒什麼不對。」我說。

「不，不是不好，只是我想要更好的。如果能回學校，我就能得到更好的工作。」

「清潔工作總是要有人做。」

「你會做嗎？」

路人注視我們，這些藝術喜好者好奇地看著手拿清潔劑與刷子、說話頭頭是道的高中輟學生。

「聽著，妳的文章寫得還可以。」

「只是還可以？」

「是的，都是老師或評論家的意見，沒有多少妳自己的想法。」

她對我笑，「你挺厲害的嘛。」

「什麼？」

「你是一個好老師。」

「妳不瞭解我。」

「我可以感覺到，你是一個很好的老師。你說得很對，我應該多加我自己的想法。所以你會教我？」

我想逃開，逃開柯克街與夢機器，逃開特斯提夢娜與她的髒衣服。

但我想起喬治・張對我多有耐心，他鼓勵我，幫助我學太極拳，只因他認為那是一件對的事。

我不知道自己是怎麼回事。

「妳什麼時候可以開始？」我發現自己這麼問她。

20

奇怪，奶奶沒來應門。我確定她在家，至少從電視聲中，我可以判斷她在家，門後傳來全國樂透開獎的聲音，觀眾席一陣失望的嘆息。她是為了一千萬英鎊不來應門，還是其他原因？

我耐心等候，期望聽到軟鞋輕踏地毯、鏗鏘的安全門鉤聲，以及門後好客的笑容。但什麼都沒有，奶奶沒來開門。

沒有瓦斯氣味，門後沒有冒煙，也沒人呼喊救命。可是她畢竟是八十七歲的老人，不安的感覺漲滿我的胃，我放下購物袋，笨拙地用備用鑰匙開門。

難道就這樣嗎？

人，會死，會離去，只要一轉身，你再也見不到他們。

我衝進奶奶的公寓，電視的聲音開得很大，我沒見到她，卻看到壁爐旁站立一個陌生男子，他拿起銀製相框，正在猜想那值多少錢。

他轉身，手上仍拿著相框，他是個體格健壯的男孩，約十七、八歲，身高絕對超過六呎，娃娃臉上散佈著細鬍鬚。

我快步衝向他，對他大叫，將他推往壁爐。我整個身體，因害怕、憤怒而不住顫抖。

在我們扭打的過程中，我可以感受到他壓倒性的力氣、憤怒與爆發力。

他大力甩開我，將我丟向那擺滿聖誕裝飾的櫃子，滿是灰塵的媚眼妖精與愛笑西班牙驢子因此顫動不已。

就在這個時候，奶奶從廚房走出來說：「喔，你們已經自我介紹過了嗎？」

我們很快放手，像兩個被裁判拉開的拳擊手，各自氣喘噓噓地坐在咖啡桌一角。奶奶溫和地將茶與甜點擺在我們中間。

「我下車後突然覺得喘不過氣。」她說，「我只不過是到商店裡轉一圈，就累得喘不過氣。艾飛，你會這樣嗎？」

她微笑著轉向那個被我痛打的年輕人，「幸好有肯恩送我回來。」

「我叫班。」他說。

「喔，連恩。」她說。

「還有，連恩幫我拿手提包，幫我開門。艾飛，他真是個好人。」

「謝謝你。」我說。

「不客氣，」他對奶奶微笑，身體還在發抖，「我得走了。」

「肯恩，」我說，「班，請留下來喝茶。」

「我真的得走了，」他不願看我，「希望妳好點兒了。」他向奶奶說。

我送他到客廳門口，他仍拒絕看我。

「我不知道，」我讓他出門，「我以為……」

「笨蛋。」他咕噥著說。

是的，我是一個笨蛋。我不相信這世上還存有善意。連對錯擺在眼前，我都分不出來。

等我轉回客廳，奶奶已經睡著了，她一手握著樂透獎券，一手拿著甜點。近來，她常常突然打瞌睡，有時，甚至會突然往前倒，要不是我動作快，她早已跌出椅子。

「我大概太累了，常打瞌睡。」她說。

但我知道，她不是打瞌睡，她是暫時昏迷。

「鬆一點！」喬治不曉得說了幾遍。

這「鬆一點！」是我少數聽得懂的廣東話。我在香港雙福語言學校旁的裁縫店，常聽到衣服太緊的客人這麼對師傅說。

「鬆一點！」客人大聲對吳師傅說，「放寬點兒！」

喬治要我放鬆一點，他認為我太緊張了。他可說對了，對我來說，不只是太極拳這件事情很困難，所有其他的事也一樣。我的太極拳打得像在做苦工，不像喬治那麼自然、美麗。

「放鬆點！」他說，「這是玩太極拳的竅門。」

玩？是學習？練習？不會是玩？

喬治的英文不錯，帶些廣東腔。雖然他沒有他太太的語言天份，經常弄錯時態，或省略重要字彙，但別人還是聽得懂。我對他用得動詞感到困惑。

「你的意思是練習太極拳，對吧？我想你是說學習，不是玩。」

他看著我。

「不！」他說，「我們玩太極拳，玩。太極拳不是體操，不是用來練六塊肌，不是練體能。如果你能懂這個道理，就可以開始學。你就會鬆一點。我真不懂你們西方人，老是緊緊張張的。來，再試一遍。」

我照做。

我的兩腿自然跨蹲，與肩同寬，頸部伸直，下顎及屁股裡縮，輕輕吐氣、吸氣，手自然下垂，我試著感受單田，他們說，那是在肚臍上兩吋、臍內兩吋的地方。

這根本不是在玩！

「你聽過吧？沒有痛苦，沒有收穫。」喬治說。

「是啊。」

「胡說八道。」

「我來得太早嗎？」潔姬說，「如果這樣，我可以……」

「沒關係，」我說，「請進。」

她走進我新搬的公寓，環視未打開的箱子。

我終於有自己的地方，一個擁有一間房的公寓。公寓是維多利亞式建築，住戶大多是學音樂的學生，因此老遠就可以聽見小提琴和大提琴聲。幸好他們的水準不錯，所以不覺得吵。這是個好地方。因為我經常要帶奶奶去醫院檢查，再加上新學期開始，因此除了重要物品外，我都沒時間整理。

例如蘿絲的照片。

辛納屈的唱片。

電子壺。

我去電話亭般大小的廚房燒水沖泡即溶咖啡，潔姬則在客廳裡走來走去，想找個可以坐的地方。

「我愛這些老歌，」她大聲說。法蘭克的〈Wrap Your Troubles in Dreams〉剛結束，正開始〈Taking a Chance on Love〉。「這是哪片CD？」

「是《Swing Easy》，錄有他原始單張唱片《Songs for Young Lovers》中所有的歌。我常聽，是我最喜愛的一張。」

「是亨利．康尼克的歌嗎？」

我差點把水壺掉到地上。

「亨利．康尼克？怎麼會是亨利．康尼克？是法蘭克．辛納屈。」

「喔，歌聲挺像亨利．康尼克，是不是？」

我沒再說話。當我從廚房出來，她正在看蘿絲的照片，那些是在公司船上、結婚那天、維多利亞公園新年晚會，以及香港回歸那天拍的。

我最喜歡的是她護照照片放大的那一張，看起來如此年輕、美麗，而且正經八百。我再也沒見過她留那麼長的頭髮。我常想，除了她之外，大概沒有人的護照照片是可以見人的。

「女朋友？」潔姬笑著問我，「這不是我在你父母家見到的女孩。」

我想起她是指凡妮莎。

「那只是朋友。這是我太太，蘿絲。」

「喔！」

我可以感覺到她的腦子在打轉。為什麼他們不讓我清靜些，為什麼老是要提這些事？

「你離婚了？」

「我太太死了。」我從她手中拿走相片，然後給她一杯咖啡。我小心地將相框放回原處。「潛水意外。」

「潛水意外？」

「潛水意外，那時我們住在香港。」

「天啊。」她看著蘿絲的照片，「抱歉。」

「謝謝。」

「真是件悲慘的事。」她看看所有的照片，顯得很難過，「她那時幾歲？蘿絲那時幾歲？」

「二十六，快二十七。」

「你真可憐。可憐的女人。可憐的女孩。喔，我很難過。」

她的眼裡閃爍著淚水。我很想感謝她的同情。

但是我難以接受她的同情。我忽然想起她在這裡的理由。

「妳想補習A級英國文學。」

她漂亮、化著濃妝的臉笑開了。

「如果可以考過這科，我就可以回學校讀書。我告訴過你，我已經通過法文與媒體研究兩科，再加上這科，我就可以進格林威治大學攻讀學位。然後我可以找到好工作，不用再當清潔女工了。」

「為什麼一定要進格林威治大學？又不是劍橋或牛津。」

「因為那是我的計畫。」她說，「人都有計畫，我已經有入學許可，學校成績不錯，但那時，我必須放棄。」

「妳說過，因為個人因素。」

「現在，我要試這第二次機會。」

「好的，請坐。」

我從紙箱拿出兩張椅子。

「英國文學基本的主題是散文、詩、戲劇和莎士比亞的作品。最終的要求是讀與寫。」

「嗯，讀與寫，好的。」

「那就是說，妳必須讀懂文章，還要有寫作能力。這是英國文學的本質。」

我知道如何解釋。

這些詞句是我在黛安娜男子綜合中學的黑暗時期常說的，雖然那裡的大多數學生要進技術學校，用不著A級英國文學。

門鈴響起。

「對不起。」我說。

「喔，那是找我的。」潔姬說。

「什麼？」

「一定是我女兒。」

女兒？什麼女兒？

我與潔姬一起走去開門。一個大女孩站在外面，很難看出她的年紀。她的頭髮蓋住她的臉，身穿灰暗、寬鬆的衣著，與潔姬緊身亮麗的打扮成對比。

「這是巴德先生。」

她沒說話，只從油膩的頭髮後看我一眼，然後很快轉開。她是害羞、藐視，還是有其他原因。

她帶了一疊雜誌，封面是一些戴面具、穿三角褲、臉部表情怪異的男人。我以為那些是色情雜誌，其實是有關新式摔角的刊物。我們一起走回客廳，她們走在我後方，潔姬心情愉快地嘰嘰喳喳問她一些事，她則不情願地用單音字回答。這兩個人外表雖然不像母女，但從說話的方式可以確定她們是媽媽與成年小孩。

女孩走進公寓，看看四周，露出不滿意的樣子。

「這是我的女兒，」潔姬說，「希望你不介意她安靜地坐在這裡等我下課。」

我怎麼會接受教這樣的一個女學生，這個女人應該是要站在阿姆斯特丹的櫥窗裡才對。

「你想我為什麼放棄大學？」潔姬突然氣沖沖地說。

我看著那個帶著怨氣、沒有名字的女孩翻閱捽角刊物，然後在心裡問我自己：你想我為什麼放棄教書？

21

當我看見弘子在邱吉爾校門外等待，不禁讓我想起以前讀過的一篇談論人與人的關係中究竟誰佔優勢的文章。

一個「困擾解答叔叔」曾下了個結論：不在乎的一方握有主導權。現在，弘子仰頭微笑，滿懷希望地看著我，我突然領悟到「困擾解答叔叔」的智慧。

從各方面來看，我沒有任何地方贏過弘子。她比我年輕、聰明、漂亮，也比我善良。弘子比我好太多。

但她比我在乎。所以到頭來，這一切，外表，年輕，好心腸，變得不重要。

「艾飛，我們見面的次數很少。」

「我一直很忙。」

「你奶奶好嗎？」

「還在醫院。他們將她肺裡的水抽出，趁機為她做其他的檢驗。她在裡面結交了不少與她同年紀的朋友。」

「她總是這麼樂觀。」

「她會好起來的。」

「那就好。等一下要一起吃午餐嗎?」

「午餐?我得與哈密栩碰面,我們有事要談。」

「晚餐?」

看吧,建議午餐是合理的,無關緊要。但是,晚餐就顯得有點急,使我有被逼迫的感覺。她建議共進晚餐逼得我不得不表明態度。

「弘子,我真的認為我們現在應該互相給點空間。」

「給點空間?」

她哭了。她的眼淚不是那種充滿威脅的眼淚,不是那種逼你妥協、改變心意去晚餐的眼淚。那只是眼淚。

「弘子,妳是一個好女孩。」

事實的確如此,她是一個好女孩,一直對我很好。既然如此,我是怎麼搞的?為什麼不能快快樂樂的與這個女人在一起?

當你需要「困擾解答叔叔」時,他永遠不在身邊。

邱吉爾最近發生一件性醜聞,而且與一位老師有關。麗莎·史密斯氣得七竅生煙,學生之間更是流言四起。學校來了幾個穿制服的警察,四處探查這次的事件是否只是冰山一角。

好消息是,這一切與我無關。

哈密栩因為在海貝利廣場一間公共廁所的行為被逮捕。我知道那個地方，那是一個如果你進去上廁所，所有人都會認為你是個變態的地方。

總之，哈密栩因其淫蕩的行為被逮捕。有天深夜，他向一個他以為是同好的人採取行動，沒想到那個人竟然是個警察。現在，哈密栩只能眼睜睜看著他的世界剝離。我請他到愛蒙得弗里拉喝杯酒。

「我覺得我快要失去一切了。」他說，「我的家人、公寓、神智。就只是因為一點點所謂不正常的行為，這真是不公平。」

「老史密斯怎麼說？」

「她說要看警察是否提出告訴。我不擔心她，我可以在別的地方找到同樣低薪的工作。我擔心我的伴侶，我目前住在他的公寓，如果他要狠心分手，我不知道自己該怎麼辦。」

「等等，你的伴侶知道你半夜去海貝利廣場，不是為了打網球，而是為了……」

「我告訴他我已經放棄了，他不喜歡我做那些事。」

「喔。」

「我的父母會受不了，他們會發瘋，天啊，尤其是我父親。他在葛凡造船廠工作了四十年，等他發現我是他們所謂的『同性戀』，他絕對不會再和我說話。」

「等等，你的父母不知道你是同性戀？不知道？天啊，哈密栩。」

「我來自東區格拉斯哥，那裡的人觀念趕不上倫敦。不過我現在知道了，格拉斯哥與倫敦並沒有很大的區別。我原本以為到了大城市，一切都會變得自由、簡單。但到頭來你會發現，在某些方面，這個地方跟其他地方沒有什麼不同。」

我很同情他，所以沒有告訴他我真正的想法：在公共廁所內，你如何能期望有私人的生活？

而且，我認為他誤解了倫敦。我的城市是有許多缺點，但它有一項全世界最棒的優點：你可以當任何人，任何人—當然，要離警棍遠點。

我看著歐嘉在吧檯另一頭不熟練地倒啤酒，心想：你其實有足夠的自由去創造個人的生活。

只要你小心點。

有時我會認為，愛是一個裝滿錯誤身分的箱子。

就拿弘子來說吧，她把我看成另一種人，一個高尚的好人，一個她想在一起的人，一個英國紳士，一個我不是，也永遠不會是的人。

再說哈密栩和他的性伴侶。哈密栩的男友或許相信哈密栩想要的是一段認真、單一的關係，喜歡在星期六晚上一起逛街買東西，舉行小型晚餐派對，聽百老匯音樂，對伴侶忠實。這又是另一個搞錯身分的例子。

哈密栩真正想要的是，到公共場所與連姓名都記不得的人發生性關係，這比什麼都重要。他的伴侶不會理解，也不想理解。

那算什麼呢？如果一點都不瞭解對方，還能算是真感情嗎？

自有記憶以來，奶奶就有一位她很不喜歡的醫生。她老是認為自己陷入與醫生爭奪個人自由的戰爭中，她想留在家裡，而那些醫生，那些密醫─連她喜歡的她都這樣稱呼，則想把她偷走，鎖在醫院，讓她老死在那裡。

現在，她躺在醫院的病床上，卻有了完全相反的想法，她認為她的醫生應該被加薪，護士則該上電視接受表揚。

「她們跟報氣象的女孩一樣漂亮。」奶奶對她們讚譽有加。

母親、喬伊絲和我坐在她的床邊，她正在講述有關護士的趣事，內容包括長得像模特兒般的護士長，睡在隔壁床、頭腦不清楚的老女人，會安慰病人的印度醫生，輕浮的看護，可憐的護士，還有躺在床上的老病人不停評斷誰才是她的朋友，誰才能與她一起說笑，誰才能在她出院之後與她一起喝茶等等。奶奶講個不停，有點胡言亂語，難道他們在蕃茄湯裡加了什麼嗎？

奶奶看起來比以前愉快多了，即使床邊擺了一個矮胖醜陋的機器，正伸出一根細長的塑膠管，穿過天使般的白色長袍，刺入她的體內，慢慢抽出她肺部的積水。

奶奶有一邊的肺在X光片上是全白，積滿不該在那裡的水。會診的醫生都很訝異她竟能一直在那種情況下呼吸。

然而，即使那個醜陋的機器整天低鳴，即使整天都得插著管抽積水，她看起來仍舊很愉快，她是怎麼辦到的？

我知道奶奶一直是個勇敢堅強的老婦人。但是，她陽光似的情緒不只是勇敢，她的樂觀是來自於她知道自己不會像她的丈夫，也就是我的爺爺，她不會死在這裡，至少這次不會。

她突然靜止下來，我們同時轉頭，看見父親尷尬地站在床尾，手裡拿著一束花與一盒巧克力。

「哈囉，媽媽。」他上前親她的臉頰。

「邁克，」她說，「我的邁克。」

我很怕喬伊絲會說些讓父親難堪的話，但她沒有，她一直保持一種莫測高深的態度，不一會兒，她向前拉起奶奶的手，說她很快就會痊癒。

我的父母看起來像兄妹，而不像夫妻。他們看起來像是共有一段過去，但也僅止於此，他們之間沒有仇恨，沒有感情。他們有禮、公事化地討論醫生的看法，以及奶奶住院時的需求。你只能從他們互不相望的眼睛，猜出他們各自聘有離婚律師。

這也是第一次，我替父親感到難過，他今天還沒刮鬍子，頭髮過長，而且瘦了－不是健身房的關係。

他擁有他想要的一切，但不快樂。他老了。

他看起來，怎麼說呢？

像個只剩呼吸的人。

潔姫．戴的第一份作業是對兩首詩的評論：葉慈的《When You Are Old and Grey and

Full of Sleep》和李察‧拉夫瑞斯（Colonel Lovelace）的《To Lucasta, On Going to the Wars》。

她坐在桌子的另一頭咬她塗滿指甲油的手指，一邊看著我讀她寫得乾淨整齊的文章。窗戶旁，有堆東西佔據了大部份的沙發—她有名字嗎?有人告訴我嗎?—亮光封面，上頭有兩個汗流滿面，穿吊帶內褲的肥胖男人疊在一起。她媽媽怎會讓她看那種垃圾書刊。我沒說什麼。有人在公寓的某個角落練習中提琴。屋外正在下雨。

「還可以。」我說，一邊把文章放回桌面。

潔姬露出失望的表情。

「只是還可以?」

「作業的要求是評論。」

「那正是我寫得內容。」

「不是，妳不是這樣寫得，妳寫了妳的喜好。很明顯的，妳喜歡葉慈，不喜歡李察‧拉夫瑞斯。」

「我以為我得把自己的想法放進去。你說的，要把自己的想法放進去。」

「妳是應該把自己的想法放進去，但你不能直接說出自己的喜好。沒人在乎你喜歡那一首詩，這不是選美比賽。」

「但是葉慈的詩很好，不是嗎?和一個人一起老去，一生就愛一個人，直到老了舊了，還是愛他。」

「我知道詩的內容。」

她閉起眼。多少人愛你年輕歡樂的時辰，愛你的美麗，用或真或假的愛情。只有一個人愛你那朝聖者般的靈魂，愛你那衰老的臉龐的痛苦皺紋。（*How many loved your moments of glad grace, And loved your beauty with love false or true: But one man loved the pilgrim soul in you, And loved the sorrows of your changing face.*）她睜開眼，眼裡充滿亮光。「寫得多好。只有一個人愛你那朝聖者般的靈魂。我好愛這首詩。」

「妳在葉慈的部分是寫得很好。但是太忽視李察．拉夫瑞斯的部份。這在考試時會失去不少分數。」

「這個拉夫瑞斯小子，他懂什麼？《To Lucasta, On Going to the Wars》寫得是將一切擺在愛情之前，國家，榮譽。」她瞧不起似地撇撇嘴，用不可思議的尖銳聲音說：「親愛的，我不能愛你太多，因為我更愛真理。（I could not love thee, Dear, so much, Loved I not Honour more）真是胡言亂語，老醉鬼。」

「那是英國文學裡有名的幾首愛情詩之一。如果妳說李察．拉夫瑞斯是一個醉鬼，妳將會失去不少分數。」

「嗎。」

是那一堆東西。

一堆東西開口說話了。

是活的。

「親愛的，什麼事？」

「有一個女人在外面，她站在雨中。從我們進來後，她就一直在那兒了。」

潔姬和我一起走向窗戶。

一個年輕女人站在對街的路燈下。她把外套豎起，躲在快被吹掉的Burberry雨傘下。雖然看不見臉，但我認出那把灰褐色方格傘、外套，以及帽子外亮麗的黑髮。

弘子。

她拿著一束花，可能是要給我奶奶的。那正是她會做得事，體貼細心的表示。善良的弘子。

「為什麼要這樣過日子？」潔姬問我。

我一時語塞。

「過什麼樣的日子？天啊。我真不敢相信這是我聽到的。妳在說什麼？」

「為什麼要傷害那些年輕的女孩？」

潔姬．戴和她的女兒同時看我。我感到自己臉頰發燙。

「我沒傷害任何人。」

「喔，你有。」潔姬．戴堅定地告訴我，「你有。」

22

邱吉爾常有新面孔。

一直有新學生來，他們從貧窮、開發中、富裕或過度開發的國家前來，千篇一律地野心勃勃、不知所措。而老學生最後不是回家、進入大學、與當地人結婚、因非法打工被遣返，就是消失在城市中。

不過，有幾張臉孔是熟悉的。

今天，我初級班的學生全到。

弘子與敬恩透過他們閃亮的頭髮凝視我。乾乾淨淨的伊恩崙安靜地坐在優美身旁。優美特有的日式美麗的臉龐散發一圈廉價的金色光環：從京都進軍好萊塢。

曾與維托還在和打工的疲倦奮鬥。阿絲杜露娣若不是發胖，就是懷孕了。歐嘉坐在前排咬筆桿，她的程度只能勉強跟上班上同學。當我在講解過去完成進行式時，凡妮莎正在檢查她那乾淨的指甲。

凡妮莎背對著門，所以當那人突然出現在小窗口外檢視全班時，她沒有看到。那是一個長得不錯、四十歲上下的男人，看起來有點憔悴，好像最近發生了很不好的事。

他臉上有一塊紅斑，眼鏡有一角不見了，襯衫鈕子沒扣好，一副剛從哪裡逃出來的樣子。

當他看見凡妮莎的金髮時，破鏡片後的眼睛為之一亮。我已經知道他是誰了。她轉身看他，一臉訝異，她立刻站起來，一邊喘氣一邊瞪著我們的訪客。

「當我們說到兩件已經發生的事時，常常會用到過去完成進行式，」我說，「為了表示一件事在另一件事之前發生。舉例來說：When he saw the woman, he knew he has been waiting for her all his life. 知道嗎?·he has been waiting。」

沒人在聽老師說話，大家都在看窗口的臉。

那男人打開門，提著行李，慢慢走進教室，我們全都等著他的下個動作。

「我做了，」他告訴凡妮莎，「我離開她了。」

然後他們擁吻，行李掉落在地，破眼鏡也從臉上掉落。

我環視班上其他學生，弘子與敬恩，優美與伊恩崙，曾與維托，阿絲杜露娣與歐嘉，我們全發出會心的微笑。

我們知道我們正在觀看兩個生命或三個生命，或許更多—這男人丟棄了幾個孩子？—被攪亂了。過了今天，這些生命將不會再與從前一樣。

我們有些不好意思，只能神經質地笑笑，在看與不看之間猶疑不定，不確定自己該做什麼反應。我們不確定自己看到的是神聖的愛情，還是荒唐的事跡。

然而，這男人破損的眼鏡打動了我的心—he had been waiting for her all his life —讓我決定先往好的一面想。在證實之前，我先不定罪。

一九九七年六月三十日，香港回歸前夕，那天午夜，英國就要將香港交回中國。那個夜晚，雨下不停，好像在為這塊華麗的土地心碎。

大官們都在港口，查理王子與上任督長，士兵與政府官員，都在觀看英國國旗緩緩降下。那天我們在灣仔，和所有外國人懷著同樣的心情。

蘿絲穿毛服，賈思穿西裝，我則穿件印有中文數字的衣服，看起來像古老帝國裡特有的蒼白人物。我們一夥人不是穿著正式的晚宴禮服，就是採中國式打扮。

我們走在淹水的灣仔，天空浠哩嘩啦，酒吧一家接著一家，這裡過去是紅燈區，現在則是我們這些大鼻子喝酒的好地方。

我們不知道自己應該有何想法。

是該慶祝，還是傷心？高興還是悲哀？狂歡還是覺醒？

沒有多少喜悅的氣氛。我們從下午就開始喝酒，不知還要喝到幾時。而且我們不是唯一的一群。

灣仔出現多起打架事件，這些鬧事的人多是英國人。中國人沒空在灣仔街頭打架，他們有更重要的事要做。

我們躲在一家叫「果味雪貂」的酒吧內，賈思與我好不容易擠到吧檯前。他整個晚上的心情都不好，不停叨唸中華人民共和國不知感恩，我想他有點醉了。我們在等吧檯後方的澳洲人注意我們時，他突然悲哀起來。

「你再沒多久就要舉行婚禮了吧。」他說。

「下個月。」

「不想回家鄉結婚？」

「香港是我們的家。」

「你父母會來？」

「是的。」

他笑笑。

「在你結婚以前，我得告訴你一些事。」

我以為他在開玩笑，但不是。我轉頭大聲喊酒保過來。大個子澳洲人正在另一頭忙。

「說真的，有些事你得知道，艾飛。」

「我沒興趣聽。」

「什麼？」

「我不在乎。無論你要說什麼，我都不在乎，你省省吧。」

「是與蘿絲有關的。」

「閉嘴，賈思。」

「你必須知道這些事。」

我用力推開他，雖然果味雪貂裡人多的像堵牆，賈思還是飛出去了，一時玻璃杯滿天飛。有人用倫敦口音罵髒話。這時我已經竄出人群，越過不知所措的蘿絲與其他人，那群全身濕透、穿高級衣服的人。

「艾飛？」

我已經走出酒吧，衝到馬路中間，一輛紅白相間的計程車緊急閃過我，漂亮的煙火從港口沖向天空。

午夜，一個所有東西都要移轉的夜晚，一個他們要我們相信夢想終會結束的夜晚，好像結束夢想是件容易的事。

後來賈思來到我身旁，拉扯我的手臂，雨厚厚的打在他的金髮上，他的燕尾服已經溼透，領結歪歪斜斜。

「你這愚笨的雜種，」他說，「她不過是另一個女孩。難道你笨到看不出來？蘿絲不過是另一個女孩。」

我推開他，走回果味雪貂。一些律師事務所的人已經喝了一輪。蘿絲遞給我一罐青島啤酒，我親親她的臉頰。我是如此愛她。

「怎麼回事？」

「沒什麼，他喝醉了。來，跟我跳舞。」

她笑了，「可是這裡沒舞池，也沒有音樂。」

「妳還是可以跟我跳舞。」

我們跳舞了。

兩個月後，父親送給我們一台攝影機當結婚禮物。我可以看得出來，父親不知道誰是新郎新娘的好朋友，誰只是普通朋友，所以每個人都入鏡了。

我還記得其中有段錄影，是我與蘿絲在快樂谷教堂外拍結婚照，而來賓則散落各處。

在姑姑、叔伯、同事、朋友之中，賈思穿著西裝，兩臂交叉在胸前。

他正在觀察新郎和新娘。

緩慢地搖頭。

我在柯克街的康乃爾畫廊外等潔姬・戴。

那晚有場發表會。一群穿著入時的人正手拿酒杯，互相交談，完全忽視身後的畫。

我叫住她，她轉頭看我，對我的出現似乎一點兒也不驚訝。我遞給她一個信封袋。

「這是什麼？」

「還妳的錢，潔姬，我很抱歉，我不能再繼續教妳。」

她看看信封，又看看我。

「為什麼改變主意？」

「行不通的。我很忙，妳最好還是去上夜校。我很抱歉。」

「我告訴過你了，我需要彈性上課時間。個人因素。」

「我知道，妳要獨自扶養小孩不容易。」

「你一定認為我很笨。艾塞克斯女孩想上大學，很可笑，是不是？是的，可笑。我聽過許多笑話，而且還不只是從你的朋友藍尼色鬼那裡聽來的。」

「他其實不……」

「很多人跟他一樣。如果你也是其中一個，認為上大學是個玩笑，認為我笨，沒關係的。」

「潔姬，我不認為妳笨。」

「在我這一生中，常有人說我笨。」

「我沒有……」

「我父母，老師，前夫，那個雜種。但我以為你與他們不同。」她仔細地看我，「說不上來為什麼，我以為我看到你與別人不同的地方，一點高尚的閃光，或是其他什麼的。」

我希望她說得一切都是真的。「潔姬……」

「你不喜歡我的穿著。」

「妳的穿著跟這個沒有關係。」

「我看過你看我的樣子。你是用鼻子下看我，艾塞克斯女孩，我知道。」

「我不在乎妳的穿著，即使妳全身漆上大藍色，我也不在乎。」

「告訴你，先生。」她的聲音開始顫抖，「我認為我的穿著很漂亮。你以為你的穿著有多好？像個老乞丐。」

「沒錯，我一向如此。」

「那倒是實話。你看起來像個睡走廊的流浪漢。艾飛，你知道你的問題在哪裡嗎？你以為你是世上唯一有過不愉快經歷的人。」

「那不是真的。」

「我真的很抱歉你太太死了，但你不要怪到我頭上來。」

「我沒怪誰，沒怪任何人。」

「你怪罪全世界。我知道你痛苦的過去，你要知道我的過去嗎？你想知道有個男人在我還在讀書時就讓我懷孕了？這個男人還在往後的十年間，一不高興就打我嗎？想知道那些事嗎？」

我一個字都沒說，沒什麼可說的。她的眼裡滿是眼淚。

「我一定要通過這個考試，不管你幫不幫我。再加上已經通過的兩科，我要到格林威治大學修管理學位。是的，不是劍橋大學，也不是牛津大學。你愛偷笑就偷笑吧，這是我的夢想，一直是我的夢想。」

「我沒有偷笑。」

「等我拿到學位，我女兒和我會有比現在更好的生活。這是我的計劃。如果你不能幫我，如果對你來說，傷害那些外國女孩的心比較重要的話，那我就不知道你是什麼樣的人了。很明顯的，你不是一個老師，也不是一個男人。」

我們互相看了許久，她背後的發表會很熱鬧，那些薪資過高、教育程度過高的人在大聲談話。我突然發現，我是如此在乎她的想法。

「我希望我可以幫得上忙，真的。」

「你能，你可以讓我進步的。你不相信對吧？你以為自己無法掌握世界。你無法想像你其實可以改變別人的世界。艾飛，現在還不遲，你還是可以當一個好人。」

我不知道我在想什麼。

「星期二晚上見。」我說。

這是怎麼一回事？

23

喬治分三個步驟教太極拳。

先學動作。我仔細模仿他緩慢的動作，慢慢的，我開始明白每個動作的意義。

再來是把呼吸融入動作，我按喬治的指示吸氣、吐氣，慢慢吸氣到肺部，再慢慢吐出。像在重新學習呼吸。

然而，我不明白最後也最重要的步驟是什麼？放鬆？不使用過多的力氣？只是做動作？我搞不懂。

我試著靜下心來，放開這塊草坪，然後等著後面的世界。我不太確定他要教我什麼。但我可感覺到，是與「放下」有關。

接近半夜，病房越來越黑，越來越靜。不過這是一個永遠不會完全暗下來、靜下來的地方，總有一絲光線從護士房裡射進走廊，總有聲音從遠處傳來，總有推車駛過地板的聲音，以及睡不安穩的低語、疼痛的嘆息。

我等奶奶睡著了，便離開病房去找父親。他正在醫院的賣食部，吃著剩下一半的三明治，面前有杯冷掉的咖啡。

父親每天都會來醫院，但他就是無法安靜地坐在他媽媽的病床邊。他總是想要做些有用的事，所以他會跳起來與醫生討論奶奶的病情，詢問她的進展，計劃她出院的時程，或是跑到醫院裡的販賣部替她買些她突然想要的東西。

他寧願去幫她買罐橘子露，也不願坐在她床邊。父親就是不能只待在她身旁，他總覺得自己沒做夠。

「奶奶睡了嗎？」

我點頭。「那管子讓她不舒服，但她沒抱怨。」

「她那一代的人永遠不會抱怨。他們不知道怎麼發牢騷，這是從我這一代才開始會的。」

「肺部的積水幾乎全抽出來了，她應該很快就可以回家。」

「是啊。」

「你還好嗎？」

他對我的問題感到很訝異。「我還好，只是有點累。」

「如果你很忙，你可以不用天天來。媽媽和我可以照顧她。」

他擺出似笑非笑的樣子。我知道他沒在寫書。「工作不是問題，過去也許是，但現在不是了。謝謝你的好意，艾飛。」

我想起那晚在義大利酒吧碰到他的情形。

「莉娜還好嗎？」

「我有一陣子沒見到她了。」

「沒見到她？」

「她離家出走了。」

「她不是要當你的私人助理，我以為她會是你的妻子。」

「當初的計劃行不通。」

「怎麼說？」

「不一樣，不可能一樣，怎麼可能一樣呢？我們跟以前偷偷摸摸約會時的感覺不一樣了。」他抬頭看我，「在旅館偷情，利用週末假日偷偷約會。」

商務旅行，我想，那些商務旅行。

「刺激，」他說，「羅曼蒂克。一旦住在一起，那些就走樣了。其中一人得把垃圾拿出去，我還不太能適應，過去那個旅館裡的女孩，現在卻告訴我需要水管工人。」

「或早或晚，我們都需要水管工人，水管終究會阻塞的。你知道會不一樣的，你一定知道。」

「我想是吧。我已經老到應該知道這些了，是嗎？」

「你認為是什麼原因？」

「她大概覺得失望吧。她以為找到了一個，怎麼說，年紀大、成熟、有教養、口袋裡有幾先令的男人。」

「《有橘子的聖誕節》的作者，感性的布拉克先生。」

「結果他整天坐在家裡的電腦前，不喜歡她喜愛的音樂，事實上，他認為她喜愛的音樂聽起來像防盜警鈴，他也不喜歡去擠滿穿肚環年輕人的俱樂部跳舞。結論是，他不是一個年紀稍長的人，他是一個老人。」

「她還住在公寓裡？」

他搖頭。「她搬出去了，搬去跟一個從溫布敦來、在火燒摩天樓碰到的男人住。就是碰到你的那晚，天啊，她迷死他了。」

「什麼火燒摩天樓？」

「就是斑哥斑哥俱樂部裡的七十年代夜晚。你跟不上，是吧？」

「我會試試看。」

「別麻煩了，這真累人。她說她跟那個男人沒有性關係，他只是提供一張沙發床讓她借住，直到她找到住的地方。」

「你不相信她。」

「世上沒有免費的沙發床。」

就在這時，我瞥見我的世界還原了。莉娜在溫布敦男人身上找到真愛，父親則懇求母親重新接受他，而母親最後會心軟。然後，母親會快樂的在花園裡種花，父親會寫出暢銷書《有橘子的聖誕節》續集，奶奶也不用再回醫院抽肺積水。

就在這個時候，老頭子潑了我一頭冷水。

「我會把她找回來的，」他說。我花了幾秒鐘，才明白這老傢伙不是在講他的太太或他的媽媽。「我是說，她終究會明白溫布敦的沙發床是行不通的對吧？我不能沒有她，艾飛，我是不是很笨？」

你不笨。

你是麻煩。

通常，我如果是在下課後學太極拳，我就會早早和張家人一起在上海龍吃晚餐。

張家六點吃飯，那是一段黛安娜與威廉已經放學，而餐館還沒開始營業的小小空檔。兩個小孩每天都有些課外的東西要學，黛安娜是小提琴，威廉則學鋼琴，除此之外，兩個都要學詠春拳與廣東話，所以他們不是吃飯就是上課。

張家的菜很清淡、新鮮，不是甜酸式的菜，與菜單上完全不同。他們今晚吃蒸魚、白飯、青菜、豆芽菜、小玉米、豆腐、大白菜和蘑菇。

我們用塑膠筷子卡塔卡塔地謀殺那條魚，低頭扒飯，張家人吃飯時配茶或白開水，但他們硬要我喝礦泉水。

「快新年了。」喬伊絲說。

「新年？」現在才一月底。

「中國新年，很重要的節日，像西方的聖誕節和復活節。我小時候根本沒想到要過聖誕節。我們不在乎玩具，不在乎肯尼和芭比娃娃要不要去跳舞，我們只在乎中國新年。」

「中國新年是根據中國的農曆，對不對？今年是哪一天？」

喬伊絲用廣東話與她的家人討論。

「除夕是二月十五日。」她說。

「是兔年。」威廉用倫敦腔的英語說，滿嘴麵條。

「我們會有派對，」喬伊絲說，「在這裡，上海龍。你可以來嗎？」

「我可以攜伴嗎？」

「攜伴？當然可以，帶所有的人來，帶所有的家人來。」

家人。她說得倒輕鬆。

這麼簡單、充滿肯定的家庭概念，是我最羨慕張家的地方。他們非常確定家庭是什麼樣子。

而我越來越難找出我的破碎家庭是從什麼地方開始，又會在什麼地方結束。

24

奶奶出院那天，我正好要替潔姬上課。

當我兩手提著奶奶需要的雜物回到家時，潔姬已經等在門口，她女兒站在一旁，透過油油的瀏海注視我。

「潔姬，對不起，我遲到了，我曾打電話找妳。」

「電池沒電了。」

「我得替我奶奶買東西，她公寓裡什麼都沒有，她幾小時前才出院。」

「那很好。」

「但是我現在得把這些東西送過去。」我滿懷歉意地舉起購物袋，有包餅乾不慎掉出，潔姬替我撿起。「我現在借用我母親的車子，所以不能上課。」

「我替你把東西拿過去。」她女兒說話了，尖銳的女孩聲。

「什麼？」

「我幫你，請告訴我她的地址，我可以搭公車。」

我想了一會兒，也好。她不會是為了一盒餅乾吧？

「真的嗎？」我說。

「當然。反正我也沒事做，對不對？妳也不需要我留在這裡，是不是？」

「親愛的，妳真好。」潔姬說。

「離這兒不遠，」我說，「我給妳地址，幫妳叫計程車。」

「我可以搭公車。」

真丟臉，我根本想不起這個小女孩的名字。潔姬適時解救了我。

「謝謝，紫梅。」她說。

紫梅？

「是的。」我說，「謝謝妳，紫梅。」

她不安地移動兩腿，眼神飄向地板，手則一副不知該往哪擺的樣子。

「沒什麼。」她低聲說。

紫梅拿著購物袋與地址坐計程車走後，我泡了茶。

「嗯，」我說。「妳以果子為女兒取名？」

「不要笑她。」她溫柔地說，好像我實在笨的可以。「她在學校已經受夠了，我是說，別人會笑她。」

「她被欺負？」

「你這是什麼意思？」

「我不知道，」我差點脫口說出，她是一個強壯的女孩，誰會想和她在暗巷裡打架。我馬上改變語氣，「她應該可以保護自己。」

「她是頭羊。」潔姬說，我被她這種不卑不亢的態度所感動，「我知道她體重過重，但是她的心很軟。小孩子是殘忍的，不是嗎？」

「當然。」

「小孩會欺負與他們不同的人。」

「當然。」

「如果你想知道，我可以告訴你，我不是以果樹替她取名。」

「不是？」

「不是。我懷孕時，在醫生診所看到一本雜誌，裡面有漂亮的照片，有迷人的宴會，名人會邀請你去他們漂亮的家。」

我知道她在指什麼。

「我剛好看到一篇報導。漂亮的人，奇特的名字。當然不是每個人都漂亮，有些人曬得黑亮，但長得很……怎麼說？」

「很醜？」

「是的，醜。尤其是男人，看起來比女人老。雖然不是每個人都很漂亮，但是他們看起來很快樂。你知道我的意思嗎？」

「我想我知道吧。」

「其中有一對很漂亮的女孩，她們以前可能是模特兒或演員，或是有錢人家的女兒。她們看起來像姐妹，都有一頭金髮，高高瘦瘦，膚色黝黑。她們穿著無袖連身長裙，笑得很開心，牙齒很白，有雙長腿。那種細細長長，喝香檳用的杯子叫什麼？」

「細長酒杯。」

「細長酒杯。兩人的手都握有裝香檳的細長酒杯，當然這是我猜的，因為它看起來不像西班牙香檳或氣泡酒。我想，她們的人生一定很順利，沒有不好的事發生過。好玩的是，她們的名字都叫紫梅。」

潔姬喝了口茶。

「可愛的名字。」

「妳這樣認為？」

「是的。」她繼續說，「我丈夫—那時還不是—認為那是很笨的想法。喔，不是笨，是虛榮。我來自的地方不喜歡這樣子，不喜歡將自己放在自己之上。我丈夫就是典型這樣的人。我的意思是，在我們那裡，笨是值得驕傲的事。我替她取名紫梅，我自己去為她把這個名子放在出生證明上。我才不管那個廢物傑米怎麼想，如果不是他，我也不會去那家診所，當然也就不會看到那本有紫梅女孩的雜誌。」

「妳是指因為懷孕去看醫生。」

「不是，」潔姬說，「是因為傑米打斷我的肋骨。」

下課後，我們開車去奶奶家，紫梅開心地來應門。

「我們在看摔角。」她說。

奶奶躺臥在沙發上，背後墊著枕頭，膝上蓋有毛毯。她瞪著電視，臉上露出滿足的表情。電視裡有兩個胖子，一個光頭，一個留著前法拉斐爾派的長髮，他們穿著庸俗的吊帶褲，正在互相吼叫。

「喔，是大厚板。」潔姬說。

「是妳喜愛的摔角手，親愛的。」奶奶轉向我說，「大厚板是紫梅最愛的摔角選手。」

「大厚板撞。」紫梅叫道，「大厚板踢你屁股。」她近乎咆哮，「你的屁股屬於大厚板。他會壓倒你，他會把你下賤的生命釘到悲情樹上。」

「親愛的，注意妳的用詞。」潔姬說。

「她有對可愛的眼睛，是不是？」

「我？」紫梅開始臉紅，一副不相信的樣子，「可愛的眼睛？」

「艾飛，你看過這個節目嗎？」奶奶問，好像我以前故意不讓她知道有這個節目存在似的，「他們打得很精彩。」

「但全是假的是吧？」

「怎麼會。」奶奶說，「快點，給他一拳。」

「棒！希臘羅馬式的回擊！」紫梅揮舞著手臂，「手肘打臉，膝蓋頂肋骨，挾住，推倒。」

「這不是運動吧。」我說，「不是真的運動。」

「是娛樂性運動。」紫梅說，眼睛不離電視，「娛樂性運動，他們說的。」

「親愛的，大厚板在跟誰打？」潔姬問。三十分鐘以前，她也用同樣追根究底的冷靜語氣問我關於卡森．麥克勒絲（Carson McCullers）的作品。

「比利牛仔。他糟透了。他的屁股屬於大厚板。」

之後幾分鐘，我們一起看這個連神都放棄的衛星電視台。要在過去，我早就做主轉到新聞台了。但我感謝紫梅替我送東西，感謝奶奶在醫院受苦後還能如此快樂，所以我們一起看這個頭撞來撞去、身體摔來摔去的娛樂節目，我們假裝它是娛樂節目。

光頭摔角手大厚板—紫梅的英雄—目前佔上風。他跨越繩環，用前臂追打長頭髮比利牛仔。比利牛仔不久後就仰躺在地上，過大的身體滿是汗水與嬰兒油。

「你冷掉的糖屁股是我的，」大厚板對著比利牛仔吼叫，「你的內臟該給禿鷹吃！」他用手指戳弄比利牛仔一動也不動的身體。「不自量力。閉起嘴巴。」

大厚板轉身跨上繩環，教訓著過胖兒童觀眾。

裁判轉身與審判員討論。就在這時，一個比利牛仔的忠實擁護者推來一個銀色垃圾箱，比利牛仔突然跳起來，他靴子上的鬚鬚興奮地抖動。

「是啊，」我說，「這麼剛好。他需要的時候，正好就有個垃圾箱在那兒。」

「噓！」奶奶說。

「向你們的大師彎腰鞠躬，」大厚板大叫，「聞風喪膽。喝啤酒。大厚板又回來了，跟我一起到悲情樹去！」

雖然有成千的聲音叫喊，要大厚板轉身，比利牛仔還是可以偷偷爬到他的背後，舉起垃圾箱往他身上打。大厚板像個死鳥一樣摔下來。我第一次覺得有人會受傷。

「裁判在幹什麼？」我急著問，「他怎麼可能沒看到？」

「唉呀，」紫梅說，「裁判怎麼可能看到所有的事情，這在真實人生裡是不可能的，對不對？」

紫梅與奶奶同時看我，訝異我怎麼不曉得這個道理。

然後她們又同時轉回電視銀幕，好像剛剛表演得不是比賽，也不是娛樂節目，而是不公平的世界。

25

「你跟歐嘉睡過?」麗莎・史密斯問我。

「歐嘉?」我說。

「歐嘉・西蒙諾夫,你的初級班學生。」

麗莎・史密斯從鏡片後面斜眼看我。門外傳來學生笑鬧、靴子跺地的聲音。

「我知道她。」

「我知道你知道她,你知道到什麼程度?」

邱吉爾又嚴格起來了,麗莎・史密斯像隻易怒的老鷹。她再度將注意力集中到我身上,因為警方決定不起訴哈密栩。哈密栩鬆了口氣,馬上到李斯特廣場向一位便衣警察主動提出口交服務。

我真佩服哈密栩,邱吉爾裡有那麼多可愛的年輕男孩可以追求,有皮膚光滑的亞洲人、沉悶的印度人和感性的義大利人,但他從來不碰他們。哈密栩有種讓人羨慕的能力,他可以將工作與私人幸福劃分得清清楚楚。我就做不到。

「我沒有跟歐嘉睡覺,我發誓。」

「實話?」

是實話。星期日是歐嘉唯一空閒的時候，我們在早晨手牽手走上櫻草花山頂，一起欣賞市景。然後我們走到肯頓區吃英式早餐，我只有輕輕的吻一下她。

歐嘉與我沿著北倫敦的運河散步，觀看船屋。我的手環在她腰上，驚訝於她身體的年輕與彈性。下午，我們在漢普特斯希斯徘徊，在肯伍德宅邸底樓吃冰淇淋，她告訴我她的家庭，她的夢想，她丟下的男朋友等等。我還沒跟她上床，還沒，我還在等。

我還在等什麼？會有什麼傷害嗎？

我從麗莎．史密斯的辦公室出來，看到弘子在走道盡頭等我。她假裝在讀佈告欄，等我走近，她才慢慢回頭。我很怕她會問我是不是跟歐嘉上床了。但她沒問。

「我要向你道歉。」她說。

「妳沒做錯什麼。」

「那晚等在你家門口。我不知道，我以為我們好好的，你跟我。」

「我們好好的呀。」

「我不知道我們到底怎麼了。」

「怎麼說呢。我想，妳太在乎我了。如果妳真的瞭解我，妳會知道我不值得妳這麼在乎。」

我很想告訴她：妳善良，甜美，慷慨，高尚，而我不是，很久之前就不是了。我想告訴她：妳看錯人了，錯到連我自己都被嚇壞了。

「妳會碰見別人的，」我說，「世界上有許多好人，妳會喜歡上其中一人的。」

「但我碰見你了。」

她微笑。她的微笑讓我對自己產生疑問。那個微笑讓我覺得，弘子其實知道這一切。

上海龍的窗戶佈置了許多花與彩燈，桃子、橘子、水仙花與紅色蠟燭燈籠一起燃燒。餐館此時成了灰暗哈洛威路上的一個繽紛景色。它的門上雖然貼著「關門」的字條，卻充滿著從未有過的生氣。

母親、奶奶、歐嘉和我正沐浴在一片紅燈籠中，我們站在街頭欣賞這個繁忙北倫敦中的小小奇景。

「真漂亮。」母親說。

餐館門上貼著兩張春聯，祈求福氣、長壽、興隆，春聯上有胖胖可愛的金童玉女，兩手合掌迎接新年。這一切都是在祈求來年的好運。我們按電鈴。

威廉突然出現在鑲玻璃的門後，笑著想要開門，黛安娜跟在他後面，然後是他們的父母哈勒與桃樂絲，再來是喬伊絲和喬治。每個人都笑得很幸福，我從未見過他們如此快樂。

「恭賀發財！」喬治向我們道賀。

「新年快樂！」母親笑著說。當然，恭賀發財意指來年生意興隆，或許中國人認為，要生意興隆，生活才有快樂。這個家庭有時很英國化，喬治吃炸雞，喬伊絲與我母親一起喝英國茶，桃樂絲看肥皂劇，黛安娜和威廉說一口純正的倫敦英語，哈勒在星期日早上打高爾夫球；但是今天，張家是純正的中國人。

我們進入餐館，聽見爆竹的聲音。

「那是錄音帶，」威廉轉動眼球，專家似地說，「不是真的。」

「是中國人發明爆竹的！」喬伊絲提醒他。

「奶奶，我知道，我知道。」

「官方不喜歡老百姓放爆竹，」她說，「所以現代人用錄音帶來驅趕穢氣，也行。」

我介紹歐嘉，喬伊絲馬上亮起她專家般的眼神。

「艾飛已經不小了，」喬伊絲說，「不能老是當個花花公子。他需要一個太太。」

除了喬伊絲，大家都笑，因為她是認真的。

在其他場合，年輕又漂亮的歐嘉是宴會的焦點。但是今天，在上海龍的中國家庭裡，年長者居首位。我奶奶今天是明星。

桌上滿是未煮的餃子，奶奶坐在首位，滿臉狐疑地望著滿桌食物，希望看見熟悉的炸魚或奶油。黛安娜和威廉替她端來綠茶，她仔細品嚐後，得意地伸出大姆指。

「有點像咳嗽糖漿。」她說。

我們晚餐吃雞和米飯，有一些我根本不敢看的菜，例如黑黑焦焦的炸春蠶，也有一些我非常喜歡的菜，例如香腸。

我坐在喬伊絲旁邊，她不停挾雞肉到我碗裡，像母鳥在餵食小鳥。歐嘉說她不餓，聲稱自己在愛蒙得弗里拉吃過了，但我猜她是不好意思，因為她不太會用筷子。其實，張家人本來就認為我們這些鬼佬只會用刀叉吃飯。奶奶也不會用筷子，所以她用刀叉。

「我先生是紅肉食者，」她告訴喬伊絲，「他常開玩笑地說，把牛屁股擦擦，端上桌來。」

晚餐後，我們又做了些餃子，把豬肉餡包進手桿的皮裡捏緊，準備午夜時煮來吃。它們看起來像優美和弘子說的「gyoza」，喬伊絲則說是「jiaozi」。我們清理飯桌，好擺放一盤盤的「jiaozi」。

歐嘉學不來包餃子，所以坐在角落抽煙，微笑看著我們做。喬治說，裡面有三個特別的餃子，一個包糖，一個包錢，一個包蔬菜。

「代表愛情，財運，智慧。」他說。

我們在鐘敲十二下時吃餃子，送走虎年，迎接兔年。

黛安娜吃到代表愛情的餃子。

她爸爸吃到代表財運的餃子。

我吃到代表智慧的餃子。

很好的安排。

「就像放六辨士在聖誕布丁裡。」奶奶說，「現在已經沒有人這麼做了吧？」

到了該回家的時候。

「恭喜發財！」離開時我向喬治伸出手，喬治接下了，雖然他一向不太與人握手。他的手是如此柔軟。歐嘉、奶奶和母親也忙著向張家每個人道別。已過半夜，冷冽的二月倫敦，上海龍的紅燈籠像火般燃燒。

「恭喜發財！」喬治說，「背還好吧？」

「已經好了。」

「不要吃止痛藥喔。」

「知道了，喬治。」

「止痛藥，不好。有時候，最好讓它痛。有時候，讓它痛是最健康的方法，是痊癒的方法。」

我突然明白喬治不是在指我的背痛。

他是在指歐嘉。

我突然明白，今晚帶歐嘉來是個錯誤。沒錯，張家人是很歡迎歐嘉，她也努力試著享用食物，她也被中國新年的種種禮俗所吸引。但是，她的存在就是有點牽強。

老實說，我知道她若留在愛蒙得弗里拉聽聽羅比威廉斯，與一些愛跳迪斯可、穿洞的人在一起，她會比較開心。

她不喜歡到上海龍過中國新年，但優美或弘子會喜歡。

我第一次看清楚。雖然歐嘉腿很長，很可愛，還有讓人羨慕的年輕，但她不是我想要的女孩，我也不是她想要的男人。

即使我很清楚，我們還是直接回到我的住處做愛。

26

她們爭吵過。

潔姬與紫梅來到我的公寓時互不講話，臉上明顯帶有怒氣。潔姬快步走向我們一慣用來上課的桌子，迅速將外套脫下，紫梅則不知所措地站在屋子中央，一臉不悅地看著她的球鞋，她的頭髮散落臉上，她躲在奇怪的世界後面。

我說了一句蠢話。

「怎麼回事？」

潔姬迅速轉頭看我。

「怎麼回事？怎麼回事？這位女士把她的晚飯錢給別人，是不是？還有車錢，妳的車錢可以一起給啊。」

紫梅終於露出她的臉，滿是憤怒。

「我沒有。」

「不要騙我。」潔姬走向她，我以為她要揍她。女兒往後退了幾步。「她讓那些小孩欺負她，那些學校裡的可惡小孩。」

「我告訴過妳，我沒有，我弄丟了。」

「妳知不知道，我要工作多久、要清幾層樓才能賺取那些錢？那些妳給別人的錢？妳知道嗎？」

紫梅開始哭泣。

「我真的弄丟了。」

「她就這樣讓步。換作是我，我早就殺了他們。」

「可是我不是妳。」紫梅說，這聽起來完全像我會對我老爸說得話。我同情這個怪怪的小女孩。「弄丟了。」

我怕事情就會這麼僵持下去，所以我走上前，卡在她們中間，擺出聯合國代表在調停以色列與巴勒斯坦的樣子。

「潔姬，上星期我們做些什麼？」

「討論戲劇節選裡的感情，」她咬牙切齒地說。她還在生氣，瞪著她女兒。「從《心是寂寞的獵人》。」

「好的。妳可不可以先開始，我帶紫梅去我奶奶家？」

她們兩人同時看我。

「你奶奶家？」

「我奶奶會很高興有妳跟她做伴，她下星期要回醫院。」

「她怎麼啦？」

「她要去聽切片結果，看看到底是什麼原因導致肺積水。她有點緊張。」

「好啊。」紫梅說。

「好吧。」潔姬說。

潔姬留下來準備功課，我則開車帶紫梅去奶奶家。剛開始，我們沉默不語。紫梅一直轉換頻道，想找她喜歡的電台，最後嘆了口氣關掉。

「誰欺負妳？」

她瞥了我一眼，「沒人。」

「沒人？」

她望向車外，髒亂的北倫敦區，充滿出租仲介、老舊酒店、燒烤店，以及賣些垃圾商品的店。

「你又不認識他們。」

「我可能猜得出他們的樣子。我們可以談談嗎？」

「談有什麼用？」

「男孩還是女孩？」

不做聲。「都有。」

「叫什麼名字？」

她不友善地對我笑。「你打算到學校處罰他們？」

「有名字比較好談，沒有其他用意。」

她鬆了一口氣。

「女的叫莎蒂，男的叫米克。他們身材高大。你知道，有些人就是長得高大。」

「我曉得。」

「他是光頭，她身材豐滿。他們跟我同年紀。他們是同一掛的，那些酷酷、兇悍的孩子，那些第一年就有性關係的小孩。他們討厭我，非常討厭我。兩年來，我沒有一天可以走完一整條走廊而沒有人嘲諷我。他們叫我肥子，肥胖的懦弱鬼，誰吃光所有的派？他們認為那些話很好笑。」

我們轉進奶奶住的公寓區，一排排白色房子，住滿獨居的老太太。我無法想像紫梅到這個年紀的樣子，看來她的青少年時期還有很長的日子要過。

「他們拿了多少錢？」

「我告訴過你，我弄丟了。」

「多少錢？」

「六十鎊。」

「天啊！妳吃那麼多學校的午餐。」話一出口我就後悔了。

「是啊，這就是為什麼我會這麼胖。」

「我不是這個意思。」

「我的內分泌有問題。」

「妳為什麼會帶那麼多錢？」

「那是一個星期的晚餐錢，一個月的車費，還有我自己的錢。」

「妳自己的錢？」

「我原本要去買書。」

「書？」

「《Smell the Fear, He-bitch》，是精裝書，不便宜。」

「《Smell the Fear, He-bitch》？薩爾曼．魯西迪的新作品？」

「誰是薩爾曼．魯西迪？」

「沒什麼。」

「那是大厚板的新書，他是摔角手。」

「我想起來了，娛樂性運動。所以妳弄掉了所有的錢，怎麼會呢？」

「我想這樣他們或許不會那麼討厭我。但是……」她停下來，搖頭笑笑，「你想暗算我，是不是，老師？」

「妳媽媽要工作很久才能賺到六十鎊。」

「不要再說了。」她看著手指頭。我再次同情這個傷心、寂寞的小女孩。「我知道，我知道她要工作很久才能賺得那些錢，我不是傻瓜。」

我拿出皮夾，抽出三張二十元紙幣。「事實上，任何人都要工作很久才能賺到那些錢。」我把錢遞給她，「下回小心點，好嗎？」

她看看錢，但沒伸手拿，「幹什麼？」

「我要謝謝妳，妳對我奶奶很好。拿去，好嗎？」

「我不要人家付我錢，我喜歡她。」

「我知道妳喜歡她，她也喜歡妳。我只是不希望妳和妳媽媽為了一些讓人討厭的動物起爭執。」

「你怎麼知道他們讓人討厭？」

「我見過他們。」

「說謊，你沒見過他們。」

「我見過類似的人，見過許多次了，在我以前當老師時，在我還是小孩子時。」

她看看錢。這次拿了。「艾飛，謝謝你。」

「不要緊的。不要跟媽媽提。上去看看老女孩吧？」

「好的。」

我按了電鈴，耐心等候奶奶慢慢移向門口。我轉頭看看紫梅，她仍躲在頭髮後面，但看起來快樂多了。

「妳跟大厚板是怎麼回事？」

「大厚板？」

「是啊，我不太懂。」

「那你認為我應該迷哪種遊戲？那種吃藥的女歌星，留長髮，抱電吉他，唱 boo-boo-boo，沒人瞭解我？」

「是啊。妳為什麼這麼迷大厚板？」

「這不是很明顯嗎?大厚板絕對不會忍受別人的欺壓。」

歐嘉在午夜之前打電話給我,說她現在一定得見我。

我剛刷好牙,正準備上床睡覺,所以我建議她明天早上課間休息的時候,到邱吉爾對面的咖啡店,那時我們在談。但她堅持一定要現在,她的聲音有點怪怪的,很安靜,靜的讓人猜不透,於是我沒再與她爭執。我穿好衣服,搭計程車到愛蒙得弗里拉。

我們坐在角落的一張桌子,旁邊放著了一堆玻璃杯,我以為她要告訴我麗莎·史密斯找她談過話,或是她有簽證的問題,或是男朋友要來倫敦等等。結果比那些事情更糟糕。

「我遲了。」

「遲了?」

「我的月經沒來。」

「會不會……我不知道耶……每個月不是不同日子嗎?」

「我驗孕了。」她說。我發現有關生產的語彙其實與學生生活很類似:有事遲到、測試、拿結果。問題是,怎樣才算過關,才算當掉?「用在藥房買得那種。」

我沒說話,我在等待,不敢相信怎麼會發生這種事。這個女孩,這個女人,她不是我的妻子。

蘿絲與我期待了許久,但一直沒發生。我們不停地試,我到現在還記得每月失望的週期,不舒服的絞痛,我還記得自己在每月排卵期間會被要求勃起。我們常開玩笑說:「艾飛，你今晚要表演，所以不可以在淋浴時浪費。」結果卻是一次又一次的失望、傷心。那時的我們熱切盼望一個小孩，可以完滿我們的世界。

是不是想要小孩的人不會有，而不想要的人則會得到？是這樣嗎？蘿絲與我試了幾乎一年，結果什麼都沒有，以後也不會有。

「我懷孕了，」歐嘉說。她笑得有點勉強，大概跟我一樣，不太能接受這個事實。「我要生小寶寶了。」

我們沉默了一會兒，讓情緒冷靜。四周的人在清玻璃杯。有人大叫，點最後一杯咖啡。

「小寶寶，天啊，歐嘉。」

「我知道，我知道。」

在我們共度中國新年那晚，歐嘉和我回到住處後，才發現裝在香港買得糖罐子紀念品裡的保險套用完了。我們決定冒險。其實，我們不是那麼理性地「決定」冒險，事實上，我們根本沒想那麼多，連想都沒有想。

她開始哭了起來，我握住她的手，她的手黏黏的，沾滿啤酒。她整晚都在工作，她每天都要工作。

「我會照顧妳的，」我想不出比這句老套更好的說詞，「我們一起處理這件事，好嗎？這是我們的寶寶。」

她抽回她的手。

「你瘋了？我不會跟你生小孩的，我只有二十歲，而你已經快四十了。你只不過是一家小語言學校的老師，我還有將來的日子要過。我男朋友會殺了我。」

所以，我們不再討論小孩。

我們轉而討論墮胎。

之後，我送她回家，她與其他三個從俄國來的人分租一層公寓。公寓坐落在貧窮髒亂的南區，街上充滿燒毀的棄車，還夾雜著零亂的哭聲。

我想親親她的臉頰，她卻別過頭去。在我們決定怎麼做之後，或許應該說，在我們決定不怎麼做之後，不要這個小孩之後，任何親密的動作都顯得不恰當，只會有種可笑、可悲的感覺。

她消失在公寓裡，連聲「再見」都沒有。

有個小生命正在她體內成長，在這個奇妙的時刻，我們卻比陌生人還冷淡。

先是蘿絲，現在是小寶寶。我越想越累，充滿言語無法形容的羞愧，還有罪惡感。

我是一個逍遙法外的殺人犯。

27

我不是傻瓜，我知道她為什麼不要我的小孩。我們安排好墮胎手術，我們待在冷漠的診所裡，好像不過是要拿車去做年度檢查。我們把天賜的恩惠變成詛咒，這種感覺久久揮之不去。

我一直告訴自己，那不是一個小嬰兒，還不是一個成型的小孩，而且永遠不會是一個成型的小孩。問題是，我無法說服自己，一點兒也不能。

如果我們能在自私、愚蠢的生活中給他一點空間，如果我們願意放手，他就會長成一個小生命。只要我們放手，這樣的要求很多嗎？然後，他會長成一個小男孩或小女孩，如果我們不將他丟棄的話。

然而，我們正在丟棄他，丟棄他。我不能相信，就是不能相信。也許這跟使用保險套沒什麼兩樣，不過是另一種避孕。可是，它不是另一種，已經太遲了。

我們帶來一個沒有人要的生命。歐嘉不要，我想要，真的，我很想要我們的小孩。可是我光想到單獨一人扶養小孩，我就覺得難以承受。

我想像自己一個人用奶瓶餵奶，帶小孩去公園散步或盪鞦韆的情景。小嬰兒可以去公園嗎？還是要等他大一點？老實說，我根本不知道從何開始。照顧一個小孩？我連自己都照顧不了。

歐嘉向醫生解釋為什麼不能留下這個胎兒，他們很快就說定了，而我能期望什麼？眼淚、憤怒、情緒激動地替未出生的胎兒求情嗎？如果能這樣多好。我多希望有人替未出生的胎兒說話，如果有人開口要求留下他，我會很感激的。

但是，表格已經簽好名，也已經用信用卡付清所有的費用了，如此隨便、冷淡、簡單。

殺死你自己未出生的孩子？

是的，先生。

我知道這是唯一的解決方式，難道不是嗎？但我還是覺得自己在偷東西，偷一個生命。在這個困難、痛苦的時刻，我試著安慰歐嘉，告訴她一切都會很好。然而，我們卻像一對從未見面的陌生人。

或許，她也跟我一樣，也許她也認為我們是在偷一個神聖的生命。當然，另一個可能性是，她根本不想再看到我。我們必須這麼處理這件事，因為我們之間脆弱的關係在製造小寶寶時就已經破碎了。我知道歐嘉不想和我一起過一生，老實說，或許連度過一晚她都不太想。如果可以不用再看到我的臉，我想她會快樂些。

我們之間原本就不會有結果。

小寶寶應該感謝我們。

當然，他應該感謝我們。

賈思曾經說過：「男女之間的感情會在墮胎之後淡去。」他說得如此肯定，我想一定是真的。他曾讓一個女孩懷孕。每次說到這類事情，我難免會想起母親的用詞：一群喝醉的橄欖球員到新加坡旅行。

她是一個律師，是個在英國出生的中國人，家境富裕，受過良好的教育。賈思一向喜歡這樣的女孩。我們在文華酒店的頂樓一起喝了不少青島啤酒，他告訴我，墮胎之後他們之間就沒有未來了。「那種事，老是壞事。」他說，「永遠妨礙所有的事，」那時的我很佩服他有如此豐富的經歷。

我到診所接歐嘉，我發現自己現在更喜歡她了。

她看起來是如此年輕、蒼白、無力，好像才剛經歷一些不愉快的事，而且那些事會影響她一輩子，一些會讓她改變看法的事，我不想跟她分手。我試探性地把手環繞在她的肩膀上，她轉頭用冷冷的眼光看我。

「我還好。」

「回我的公寓吧。」

「什麼？」

「不要回去妳的公寓，到我的公寓吧。妳可以睡房間，我睡沙發，直到妳好點兒。」

我看得出來她不太喜歡我的提議，但是她更不想回到她與人分租的住處。我們叫了部計程車。她一路都很沉默，也不碰我，她一直緊緊裹著廉價的黑外套。我們回到我的公寓，一路上她都走得很慢，上床睡覺之前在浴室裡待了很久。

我等了很久才進去看她，她已經睡著了，臉蒼白的像白色枕頭套。過了一會兒，她醒來問我可不可以借用電話，我說當然可以，她根本不需要問我。她用俄語講了很久，我猜對方是她的男朋友，她的話夾雜著哭聲，聽起來更刺耳。

我不清楚她向他說了多少。她很有禮貌地向我道謝，然後走回床上，一下子就睡著了。冬天的夜晚來得很早，公寓裡很快陷入昏暗，我沒點燈。

我把臉埋入掌心，孤獨地坐在黑暗的客廳裡，歐嘉則在臥房裡睡覺，她好像不停在作夢，一直喊著某人的名字。

蘿絲和我渴望有個孩子。

對我們來說，那會是世上最美好的事。

我跟我太太從結婚的第一個晚上開始，就試著要懷孕。她準備了各種工具：床頭有個玻璃杯大小的粉紅色小盒子，內有體溫計，還有一個細長形的東西，她會帶進浴室裡量體溫，測試自己是否快排卵。我們會用鉛筆把她的體溫記錄在日記本上。

今晚試吧。

喔，她擁有全套裝備。

經過一年的失望，我們幾乎決定去看醫生，就是那種我對著小塑膠瓶做愛，蘿絲檢查她的輸卵管的地方。我們經常互開玩笑。

「女士，今天妳想吃什麼樣的蛋？」

「受精蛋！」

然而，我們沒來得及去看醫生。小寶寶從來沒有來。蘿絲走了。

她真的想生一個我們的小孩。不敢相信吧！可是這是真的，不是開玩笑，她認為我會是一個好父親。「艾飛，你會是一個完美的爸爸。」她這麼告訴我。蘿絲真的很想要一個我們的小孩，當然囉，那時的我樂觀開朗，比現在好太多了。

第二天早晨，我把歐嘉留在家裡睡覺，然後到附近的書店買書送紫梅。

「我要找一本書，」我告訴櫃台後面的店員，「是……唔……」

「書名？作者？」

「是……嗯……唔……Smell the Fear……什麼的。」

「《Smell the Fear，He-bitch》？喔，大厚板的新書。那個摔角手。在門旁邊。」

在前門的右邊，我找到一疊《Smell the Fear，He-bitch》，我拿了一本。那本書的封面是一個半裸的光頭大傢伙，擺出咬牙切齒的模樣。他看起來像個健美先生，正在替內褲做廣告。

我翻開看看，其中大部份是大厚板打其他大塊頭的照片。但後面有一段是大厚板與一群各種膚色、各種年紀的人的合照。其中一頁，他談到他的生活哲學，談論慈善工作的重要性、反種族歧視的需求，以及對其他人友善的道德觀，尤其是在現今冷酷的社會裡。

他說，那是人性工作。

我想了許久，想不出任何嘲笑他的理由。

「大厚板說，做些有人性的事，要不然，我要把你的屁股甩到悲情樹上。」做有人性的事。

這是我多年以來，聽過最好的忠告。

我回家時，歐嘉已經走了。沒有字條，沒道再見，只有幾絲紅頭髮遺留在浴缸。我決定我們不能就這樣結束，所以我打了電話到她的住處。我想做些有人性的事。她的一個室友去叫她來接電話，沒過多久，她的室友走回來告訴我：她不想跟我說話。

有時候，我們會來不及做些有人性的事。

我想起中國新年那個晚上，我有多愛張家人之間的諧和。

喬伊絲與喬治，桃樂絲與哈勒，威廉與黛安娜，張家人彼此之間的融洽相處，讓我打從心底地羨慕，也因而感到心痛。

我的家庭已經破碎成片。

和我奶奶以及媽媽相較，我與歐嘉似乎是一對最正常的佳偶，結果，我們卻是最糟糕的一對。

但是，我曾經有過一個真正的家庭，我與我的妻子有很好的計畫，其中有小孩，也有一些其他的東西。

那是蘿絲和我想要的，我們的期望，我們的計畫。小孩跟所有其他的東西。

28

如果我想，我知道弘子會理我，她會用溫柔的眼光看著我。弘子會做人們會做得事，例如帶我偷偷避開女房東溜進她的臥室，然後，我們會一起做人們會做得事，從午夜到天明。

我約她在一間不賣法國餐的法式餐廳碰面，我們以前常在那裡吃英式早餐，給彼此義大利咖啡口味的親吻。我開始懷疑，自己為何會讓那段時光就這麼結束。她走進來時，我大大地鬆了一口氣，她的頭髮飄揚如昔，黑鏡框後的眼睛依然閃亮。這個美好的年輕女人，我怎麼就讓她走了呢？難道是因為她對我的喜愛多於我對她的喜愛嗎？

現在接近晚餐時間，餐廳裡有許多情侶。我們選對地點了。我將手環繞在她的肩膀上，準備親吻她。

「不行。」她笑笑地轉開頭。

我只能親吻到她的臉頰、髮絲、耳朵，以及眼鏡框。

「不行？」

她拉住我的手，帶點感情，帶點防範。

「我還在乎你。」她說。

「那很好，因為我也還在乎妳。」
「但是，感覺不一樣了。」
「聽起來不是件好事。」
「你說過，我會碰見別人的。」
「是的，但不要急。」
「我現在常跟敬恩在一起。」
「敬恩？我的腦中浮現安靜、怪怪的日本男孩，他坐在教室前排，從染成金黃色、稻草似的髮隙看我。「敬恩不過是個孩子。」
「他跟我一樣大。」
「是嗎？哇，我以為他很小。」
「考試結束後，我們要一起去旅行。可能去西班牙、泰國或更北的清邁。他跟我，都沒有真正看過亞洲。」她笑了，捏捏我的手。「你說得沒錯，世界上有許多好人。有句話是這樣說得吧？海裡有很多魚。」

那些魚都滑溜溜的。

凡妮莎就比較容易應付。跟她在一起，是件愉快而又容易的事，我們的相處就照該有的模式進行，不緊張，也不痛苦。她從來不問：你在想什麼？你為什麼哭？如果我沒記錯，我們甚至沒有拌過嘴。

這個標準的法國女人，高尚、複雜，突然，我很想念她。

我打電話到她的公寓，是個男人來接。我以為那個男人早就成了過去式，就像我生命中的許多人一樣。我以為他早就回到太太身邊，回到過去的生活。

「哈囉？」

「凡妮莎在嗎？」

那男人停頓了一會兒，「請問是哪位？」

我也停了一下，「學校老師。」

「等一下。」

電話聽筒被放下。我可以聽見對方在講話，男人以懷疑的中音說著什麼，女人則用嬌滴滴的聲調反擊。

「哈囉？」

全世界最美好的腔調。

「凡妮莎，我是艾飛。」

「艾飛？」她用手遮住話筒，向她的情人解釋。好像她欠他一個解釋。「你需要什麼嗎？」

「我在想，不知道妳願不願意出來跟我喝杯酒或什麼的。」

「跟你？」

「當然是跟我。」

「不可以的。我以為你知道，我已經不是一個人住了。」

「只是喝杯酒，凡妮莎，」我說，儘量不讓聲音聽起來很緊張，「我不是要求妳幫我挑窗簾。」

「那已經沒有什麼意義了。」

「意義？為什麼要有意義？我喜歡的就是這點，我們根本沒有過意義，為什麼每個人都需要有什麼意義？」

「抱歉，現在我不行。」

「不一定要現在，我不是說現在，星期五，可以嗎？週末？選個晚上，隨便選一個，我都有空。」

「我得掛電話了，艾飛。」

「等等，我以為我們處得不錯。」

「是的。你們是怎麼說的？消遣，好嗎？我們是有過一段愉快的日子，但已經結束了，艾飛。我們只是在打發時間，可是現在不同了，我要得不只是打發時間而已。」

我獨自在中國城喝了幾瓶青島啤酒，然後不知不覺地來到愛蒙得弗里拉。這時已近打烊，裡面都是邱吉爾的外國學生，優美與伊恩崙坐在門邊。

「我去叫點喝的。」我告訴他們。

「不用了，謝謝。」伊恩崙說。

「艾飛，為什麼還不回家？」優美說。「你看起來有點疲倦。」

「伊恩崙，你喝什麼？馬蒂麥金堤黑啤酒？」

「我不喝酒。」

「不喝酒？不喝酒？我從來不知道你不喝酒。」我看著優美，漂亮的臉蛋，滿頭假金黃色的頭髮。「我從來不曉得伊恩崙不喝酒，是信仰的緣故？」

「是的，信仰的緣故。」這傢伙看都不看我。

我把手放在他的肩膀上，把臉湊近他，我看著他為了躲避我的酒味而往後縮。「但是你的信仰，並不阻止你偷取別人的女朋友，是不是？你這個偽君子。」

他們站起來要走。

「沒有人偷我，」優美說，「你不能偷一個女人，你只能嚇跑她。」

他們走了。

我看見歐嘉在吧檯後面，我穿過人群走去，這裡充滿笑聲、煙霧、玻璃杯破碎的聲音。敬恩與維托坐在吧檯。

「你還好嗎？」敬恩問。

「你看起來不太對。」維托說。

我沒理他們。

「歐嘉，」我說，「歐嘉，我有重要的事要跟妳說。」

她走到吧檯的另一頭。一個帶澳洲口音的男子問我想喝什麼，我告訴他，我要歐嘉為我服務。他聳聳肩走開了。敬恩拉我的手臂，但被我甩開。

「不太妙。」維托說。歐嘉還在吧檯的另一頭和人說笑。

「歐嘉！」

有人拍我的肩膀。

我回頭，只來得及看到拳頭，還來不及躲開。

骨關節再加上一個尖銳的銀戒指打上我的嘴，溫熱的血從破裂的嘴唇中汩汩流出，我必須用兩臂撐在吧檯上以避免自己倒下去。一個臉色蒼白、身穿廉價衣服的瘦瘦男孩站在我面前，滿臉的仇恨。

他被敬恩與維托拉住，但還不想罷手。四周靜悄悄的，大家都在等待一場好戲，人類怎麼會如此壞心眼？為什麼他們不能做些好事？為什麼不聽大厚板的話？

「你是誰？」我說。

「我是歐嘉的男朋友。」

「真的？很好，我也是。」

「你不是，」他說，「你是無名小子。」

然後，兩個大保鑣把我丟了出去。一個是像冰箱的黑人，一個則是像洗衣機的白人。他們架起我的雙臂，往門走去，用過度的力量把我丟向街道。

一個乞丐和一隻狗坐在走道邊，我失去平衡，一頭撞上排水管。

我躺在地上，看著天上躲在暈黃街燈後的星星。我的嘴很痛，前面襯衫沾滿血。那隻

狗走過來舔我的臉，乞丐則把牠喚回去：「先生。」我不得不同意，那是個多恰當的狗名字。那狗決定不招惹我。

突然，我知道我該做什麼。

我應該跟潔姬·戴上床的。

29

我搭最後一班車到艾塞克斯。

乘客大多數是穿西裝的年輕男子和穿著像潔姬的年輕女子，大概都醉了。人人講話大聲，情緒高昂，但是並沒有人鬧事，車箱裡充滿烤肉、啤酒和Calvin Klein香水的氣味。

近午夜時，火車慢慢駛出利物浦街站。城市與郊區的分界線其實沒有那麼明顯，什麼是倫敦，什麼是艾塞克斯？

漆黑中，我可以看見破舊的六十年代大樓，沒有盡頭的調車場，擠滿二手車的前院，賽狗道，酒店，得來速漢堡店，中國和印度餐館，酒店，破舊的小店，陳年老屋，一缸子的車，以及市營住宅小屋。艾塞克斯看起來像倫敦，只是沒那麼奢華。

城外小鎮在黑暗中匍匐延伸，沒有盡頭。大概一個小時後，那些喝醉的乘客大多睡了或下車。我終於來到盡頭。

突然，城市被綠地平原所取代，調車場後是一片黑暗與寧靜。下一站是班士登，那兒才有一點市區的景觀。

班士登，她們的家鄉。

計程車在窄窄的巷道裡慢慢前進，兩旁是合建式的房子。有些房子前面有漂亮的小花園、陶瓦花盆和花卉，有些房子前則鋪上磚塊，車或小貨車停在原該是草坪的地方。看來，人們得在花與車之間做選擇。

潔姬的屋前只有草坪，沒有種花。我付了車錢，走上她與鄰居共用的走道。屋內漆黑一片。我按了電鈴。

她來應門，穿了一件，叫什麼？絲質日本袍子？和服。我私下笑笑，典型的潔姬。她就不能跟別人一樣，穿正常的衣服嗎？一定得是和服嗎？

「你怎麼啦？」她說。

「妳從來不會刻意穿樸素點？」

「你被打了嗎？」

她看著我的臉。我摸了一下，乾掉的血跡黏在腫脹的嘴唇旁。我聳聳肩，她讓我進屋裡，打開幾盞燈，問我要喝茶還是咖啡。房子雖小但很整齊，屋內佈置並不考究，牆上貼著印有紅花的壁紙。

門附近有紫梅小時候的照片，照片裡的女孩在陽光下笑得很開心，看起來像是在英國海灘照的。那時的紫梅很可愛，不胖，頭髮也沒蓋在臉上，看起來一點兒也不悲哀。她到底發生了什麼事？

我看著潔姬，這是我第一次看見她沒化妝的臉，她的臉非常漂亮。我們走進客廳，裡面有架大型電視，可怕的橘色地毯，以及更多紫梅的照片，還有許多我奶奶會喜歡的紀念品：居爾特的十字架、西班牙鬥牛、帶白手套揮手的米老鼠，以及迪士尼樂園的各式紀念品。

「你來這兒做什麼？」

「我只是要說，很好。」

「你喝醉了嗎？你喝醉了，是不是？我可以聞到你身上的酒味。」

紫梅的聲音從樓梯上傳來，「媽媽，是誰呀？」

「回去睡吧。」潔姬回答她。

「我覺得妳要上大學是件很好的事，」我告訴她，「拿學位，改善生活。我欽佩妳的決心。我希望我也能改變我的世界，我的世界已經到了應該改變的時候了。」

「就這樣？」

「什麼？」

「這就是你要告訴我的話？」

「還有……我喜歡妳。」

她笑出聲，搖搖頭，拉緊和服。

「喔，你喜歡我？」

我跌坐在沙發上，皮革發出抗議的聲響。我突然覺得很累。

「是的。」

我是真的喜歡她。我喜歡她獨自扶養女兒的勇氣，對她的爛工作的認真態度，替柯克街與邱吉爾那些假惺惺的人做他們自己不能做的事，夢想回到大學上課。不，她不是在作夢，她正在使那件事成真。她利用在柯克街刷地板清廁所的空檔研讀《心是寂寞的獵人》。在我知道的人當中，沒有人比她更具鬥志。我仰慕她，除了蘿絲以外，我還沒有如此仰慕過一個人。

所以，我走過去，手環繞她的肩膀，感到體內湧出一份尚未消化的感動和青島啤酒。但她推開我。

「喔，我不這樣認為，」她退後幾步，再次拉緊和服，「我不認為這是個好主意。耶穌基督，你難道一定得與所有的學生睡覺嗎？難道不能只是，怎麼說？教課而已嗎？」

「潔姬，我不是這個意思……」

「說真的，你很有膽量。這一點都不好笑，為什麼你認為你可以到這裡來跟我上床？」

「我不知道，」我說，「妳的穿著？」

「我應該給你一巴掌，你這混球，太讓我生氣了。」

「我不要妳生我的氣，我只是想見妳。很抱歉，那我走了。」

「走去哪兒？你現在不是在依士靈頓。你以為可以走到街上，隨手招計程車？這時候沒有計程車，也沒有火車，你要被困在這裡了。」她搖搖頭，臉色因我的無知而緩和了一點。「難道你什麼都不知道嗎？」

即使她認為我活該到班士登站的電話亭裡過夜，她還是讓我睡沙發。這次，她同情我。

她走上樓，我聽見兩個女人在說話，不，是一個女人和一個女孩。然後，潔姬拿了一個枕頭和一席毯子下來。她還在搖頭，但這次帶著微笑，好像經過五分鐘的思考後，她認為我是一個可笑的可憐蟲，而不是一個有攻擊性的可憐蟲。她把東西丟給我便轉身上樓，還在拉緊和服。

我把毯子鋪在皮沙發上，脫下外褲，躲進毯子裡。四周靜悄悄的，沒有城市特有的警鈴聲，也沒有來自遠處的說話聲與車聲，只有潔姬在浴室刷牙的聲音。

我慢慢睡著了，直到感覺有人在看我才醒過來。

是穿著條紋睡衣的紫梅。

「請你不要傷害她。」她說。

然後走開。

清晨，關門聲吵醒了我。天還是黑的，但門外有腳踏車的聲音。我推開毯子，走到窗戶邊。紫梅穿著厚厚的羽絨衣，戴著羊毛帽子，正在推腳踏車。她看見我，招手笑笑。我看著她騎上安靜的街道。

「她要送報紙。」潔姬站在門口，已經穿好衣服。「希望她沒吵醒你。」

「送報紙？妳們戴家女孩工作都這麼辛苦。」

「沒辦法，」她說，笑容軟化了剛硬的詞語，「我們只有自己。要喝杯咖啡嗎？」

我穿上外褲，跟著她到廚房，我的嘴又乾又澀。現在，青島與夜晚已經走了，我為自己到羞愧。

「你覺得如何？」她問我，「跟你的外表一樣糟糕嗎？希望不是那樣？」

「對不起。到這裡來是很糟糕的想法。但是，我走這麼老遠的路，並不只是因為想跟妳睡覺，我不是那樣的人。」

「你挺會說話的嘛。」

「我只是想找個人聊聊，我發生了件很不好的事。」

她遞給我一杯咖啡。「想現在說嗎？」

「要怎麼說呢。」

「先給點暗示？」

「是個女孩。我的學生。」

「喔，當然，是你的學生。」

「她去墮胎。」

她收起笑意。「這是很糟糕的經歷。」

「最糟糕，最糟糕的事。」

「她多大？」

「不大，二十出頭。」

「我那時十七歲，當我感覺到紫梅時。」感覺到？有時她的用詞跟我母親和奶奶一樣。

「我根本沒想過墮胎。」

「想都沒想過？」

「我是天主教徒，相信每一個生命都是神聖的。」

「如果你必須相信些什麼的話，相信這件事是好的。」

「但是生養小孩改變了我的生命。我離開學校，放棄大學，放棄學位，我沒辦法找份好工作，所以只好留在班士登。嗯，我的意思不是指班士登是個不好的城鎮。」

「妳留下小孩。它，她，壞了所有的事。」

她搖頭。「不是，不是這樣說，只是我必須將所有的事延後一會兒。我是要回大學的，不是嗎？這該謝謝你。」

「妳沒後悔過？生下小孩？」

「我無法想像沒有她的日子。」

「她很幸運，有一個像妳這樣的母親。」

「她很不幸，有一個像她爸爸這樣的父親。我想，每件事都是平衡、相對的吧。」

「她的父親怎麼啦？」

「傑米？他清醒時是好好的，但是當他喝了幾杯，就會鬧事。最初，他幾乎都是針對我，當他開始針對紫梅，我們就離開他了。這已經是兩年前的事了。我們搬到這裡，再也沒見過他。」

「妳過去一定喜歡過他。」

「開什麼玩笑？我迷死他了。我的傑米，高大，黑髮，壯的像頭牛。他原本是個優秀的足球員，是個天生好手，後來他傷到左膝蓋，於是與職業球隊擦身而過。現在的他是一個怨天尤人的保全人員，經常與他的新夥伴起衝突，不是我，不再是我，也不是我女兒。

「為什麼等那麼久？我不是指離開妳丈夫傑米，而是指進修，等什麼？如果對妳而言那麼重要，為什麼不早個幾年？」

「傑米不要我進修。我猜他是妒忌，他不希望我實現夢想，因為他的夢想已經破碎了。男人很有競爭性，不是嗎？換句話說，我的前夫，希望全世界的人都傷到膝蓋。」

「那，我們會讓妳通過考試的。」我舉起咖啡杯敬她，「希望那會使妳高興。」

她也舉起杯子。「你並不這樣想，你以為我是在夢想根本不存在的學生樂園：漂亮的年輕人坐著高談闊論《心是寂寞的獵人》。你不這樣認為。你跟我老媽一樣，認為教育、證書、通過考試是在浪費時間。但是，對蘿絲而言，就不是浪費時間，是吧？」

「蘿絲？」

「她在這兒長大，不是嗎？」

「離這兒不遠。」

「如果她沒有學位，你也不會碰見她，如果她不是大學畢業，成了律師，然後去香港，你一輩子也不會認識她。如果她十八歲時，就跟別人有了小孩—你不用那樣看我，你的生命會怎樣？」

「不知道，我無法想像。我無法想像沒有她的生命。」

「你過去很愛她，對不對？」

「我現在還是很愛她。可是有什麼用？我愛過，然後又丟了。我已經有過了。」

「有過？」

「有過，妳知道的啊，愛情、男女關係，那些事嘛。」

她搖搖頭，「你開什麼玩笑？和傑米離婚後，我不認為我已經有過了。我希望還有第二次機會。我希望每個人都有第二次機會，可以過幸福的日子。艾飛，你應該有點信心。」

「有點信心？」

「是的，有點信心。不要像我的前夫，不要只是坐著期望每個人都會扭傷膝蓋。」

「我以為一個人一生只有一次真正的機會。我不認為可以再從頭開始。如果可以，就不算是真感情了不是嗎？如果是真正的感情，怎麼可以每隔幾年再來一次？那不是很諷刺嗎？」

「想想看，那是有可能的，不然你要如何度過以後的日子？你不能只跟你的學生混在一起，因為，她們終有一天會回家。你不能只跟年輕女人混在一起，因為，她們無法真的傷害你。」

「妳真的認為我是這樣的人嗎？」

「不是嗎？」

「我不知道。」

「你不知道？你沒有聰明到足以當個老師，是不是？」

「我是一個笨老師。」

「我看得出來。」

我看著潔姬在洗碗槽清洗我們喝的咖啡杯，我想，也許她是對的。我不要當某個人的苦澀前夫。

我應該要有點信心。

30

一個小寶寶正看著我。

小寶寶像個撞球般光滑圓溜，像穿著連身嬰兒裝的溫斯頓．邱吉爾，有一小滴口水從撅起的嘴角流下來。小寶寶看起來很新。整個看起來，怎麼說？像新鮮的薄荷。

小寶寶是我所見過最美麗的事。他看著我，他知道我，小寶寶分辨得出來。他們大大的眼睛隨著我慢慢移向醫院服務台。我停下腳步，回頭望著那些小嬰孩，訝異於他們的知覺能力。

小寶寶可以看透我的心，解讀我的想法。他們知道我剛剛做了一件很惡劣的事，一件掛在信用卡帳單上，卻無法談論的行為。

我無法相信我做了那件事。

小寶寶被一群快樂的大人環繞著，有父母、兄弟姐妹與祖父母，他們開心地看著那個小小的生命，也許這是第一次見面。小寶寶毫不在乎地伸手踢腳，試探著那群大人，他除了躺在那裡，什麼也不做。小寶寶揮舞著小手小足，用責備的眼光看我。

「親愛的，你是對的。」

我不確定地點點頭，然後扶著奶奶走開。

「對於今天，我有不好的預感。」她說。

我安慰她說，這只是一個尋常檢驗，最壞的時候已經過去，肺積水已經抽乾，這些門診很快就會結束，然後她就自由了。我真心相信是這樣。

然而事實並非如此。

我們先是被指示到一間小小的等候室，那裡很擁擠，我們得站著等。大部分是脆弱的老人，也有才五十幾歲，但運氣不佳，得來這裡的中年人，其中有個過胖的女人讓位給奶奶。

在這個房間等候的人都有類似的態度，他們用笑話、理解的微笑，以及無限的耐心來應付這個小空間的侮辱與掛慮。他們好像這樣說：讓我們同甘共苦。我由衷地同情他們。不出我所料，奶奶似乎認識他們全部。他們讓我想起一起長大的同伴。

終於，我們見到了主治醫生，一個奶奶叫不出姓名的醫生，所以她都稱他，那個友善的印度先生—雖然我不太確定他是不是印度人。他是個好人，我挺喜歡他的。我們照著他的指示去照X光與驗血，沒有翻白眼，也沒有嘆氣。

然後又是等候。又是站著等。我們手持另一張小小的號碼牌站著等，好像永遠等不到似的。

驗血的手續很簡單。我和奶奶一起進入一個小小的房間，她捲起藍色Marks & Spencer連衣裙的袖子，像小孩子般，看著針筒插入她蒼白、乾皺的皮膚。護士往小小的傷口貼上一塊膠布，我們就出來了。

我沒陪奶奶進去X光室，因為得脫下衣服，所以我在外面等。她換上醫院的袍子後，迷糊地站在X光部門的走廊中央，她沒綁好後面的帶子，於是人人都可以看到她可憐的老弱背部與二隻腿，那些脆弱的骨頭總讓我聯想起小鳥，我想保護她，想幫助她，但是我不能，我不准進去，再說，她也不會讓我進去，她不想讓我看見她無助的樣子。她就這樣站在X光部門的走廊中央觀望，滿臉迷惑，我知道她真正想做的是，回家與她的法蘭克．辛納屈以及樂透彩券在一起，再加上一杯好茶，這樣的要求並不多。終於，有一位大嗓門、友善的護士看到她，為她指點迷津。

之後，我們回去看那位友善的印度醫生。我永遠不會忘記那一刻，他告訴奶奶：她快死了。

「巴德太太，我們看過妳的切片，我必須讓妳知道，妳肺部有一個腫瘤。如我預料，像妳這個年紀的老人多半是惡性的。」

他們知道多久了？幾小時？幾天？幾星期？一定是在我們今天進醫院之前，在健康的早晨之前，在我奶奶遊逛X光部門、衣服半開之前。

然而，對我們來說，是新聞。

惡性腫瘤。沒人提過這個字。我很羞愧，我的家人，包括我、母親和父親，沒有人有勇氣說出這個字。我們以為，只要不去提，這個字就會自動消失。然而現在，它就在這裡，雖然我們不說，它依然在我奶奶的肺部慢慢長大。

醫生說，之前在水沒抽乾，切片檢查沒出來之前，他們無法診斷。他是個好人，他平靜地說他沒辦法做任何治療，癌細胞是從身體的其他地方移轉來的。

這不是他第一次這麼告訴病人，或許，甚至不是今天的第一次。

奶奶必須再換衣服，再做檢查。當奶奶開心地和年輕護士在屏風的另一邊聊天時，我直接問醫生：「多久？」

「以你奶奶的年紀，可能幾個月，或許到夏天。」

他說起醫學專詞，它叫間皮瘤（mesothelioma）。我請他寫下來，我怎麼可能會拼這個致命的字。

奶奶檢查完畢，穿好衣服，然後向醫生道謝。她喜歡他。奶奶是一個有禮、勇氣可嘉的女人。我再次感到羞愧，我不知道當我到她這個年紀時，我會如何處理。

離開醫院後，她的嘴抿成一條線。我注意到她的眉毛畫得很不整齊，她一心想打扮得體，她已經盡了最大的努力，我的心被撕裂了。

她用手揉著肚子，就是插管抽肺積水的部位。我們原以為是傷口尚未癒合，現在我們知道，不止是那樣，疼痛讓她輾轉難眠。

「我要戰勝這個東西。」她宣告。我不知道該說些什麼，因為我曉得，它是不可能被打敗的，可能嗎？所以，不論我說什麼，聽起來不是投降，就是謊話。

我們回到她的白色小公寓，她很快進入例行性的秩序：放上茶壺燒水，放辛納屈的唱片《I've Got the World on a String》，把《鏡報》攤在咖啡桌上，翻到電視節目表那頁，然後用藍色原子筆圈出想看的節目，以防我們都沒辦法陪她時，可以用來填滿每天的空檔。那些歪歪斜斜的圈圈令我想哭。

她哼著歌。我則在發抖，害怕那件我必須去做的事。我該打電話給父親，但我想，那可以等。現在，我們一起坐在沙發上，喝甜甜的熱茶，聽辛納屈唱〈Someone to Watch Over Me〉，奶奶緊緊握著我的手，像是她永遠也不放手。

我很久沒去公園了，當我再去時，草皮上的霧氣已經連初冬的陽光都燒不去。他在那裡，他當然會在那裡，他正在光禿禿的樹底下，不急不徐地舞動，那是包含默想、武術、體操、緩慢呼吸的寂寞舞蹈。每一個動作都如此特殊，每一個動作都如此神聖。

但是今天，喬治．張不是單獨一人。

有一群年輕的上班族穿著乾洗過的運動衣，禮貌地站在旁邊看。他們大約有十個人，多數是男性，只有一、二個金髮的纖細女性，男人的身體過軟，女人的身體過硬。他們是典型的現代男女，全都該去健身房鍛鍊一番。

「艾飛？」

是賈思。他比我印象中胖了點。再說，我習慣看他穿亞曼尼或保羅史密斯的西裝，而不是耐吉運動衣。但他的確是賈思。

「你在這兒做什麼？」我問他。

他指指喬治。

「老闆叫我們來這裡看看他。」

「為什麼？」

「太極拳是我們公司目前舒緩壓力的策略，公司浪費太多個人工時在壓力上。」

「個人工時？」

「是的，個人工時。太極拳可用來減輕工作壓力，同時也可以幫助我們跳脫既定的圈圈。」

「既定的圈圈？什麼意思？」

「改變我們已經固定不變的思路，幫助我們進行有創意的思考，不要老是用一成不變的商業技巧。要跳脫既定的圈圈，艾飛。剛開始，我以為那不過又是一個新口號，公司今年度半生不熟的哲學，但是，我看了張大師的太極拳之後，我改變了想法。」

張大師？喬治從來沒有自稱過是張大師。這些裝模作樣的人是誰？來公園做什麼？

喬治示範開拳的第一個動作，然後叫他們試著照做。那是一個簡單的動作，他還沒要求他們調整呼吸呢。當賈思與他的朋友舞動手臂時，我把喬治拉到一旁。

「你不是真的要教這些笨蛋吧？」

他聳聳肩，「新學生。」

「我不懂這些人是怎麼找到這裡的，我不懂公園為什麼突然來了這一群穿西裝的人，討論如何跳脫既定的圈圈，以及個人工時。這些穿西裝的人打算用太極拳來替原本就很有錢的公司省錢。這是我們的公園。」

「他們的老闆來上海龍吃飯，是個好客人，住得不遠，大律師。他說：『喬治，我要你教我手下的員工打太極拳。我聽說那對舒緩壓力很有效，可以嗎？』我看不出來為什麼不可以。」

「為什麼不可以？因為他們不會一直學下去，這就是為什麼不可以。你以為他們會持續下去嗎？他們只有五分鐘熱度。下個星期就會有其他花樣，瑜伽、跆拳道、莫里斯舞蹈或其他什麼的。」

「你持續學了多久？」

「那是不公平的問法，我最近很忙。」

他轉過頭，正對著我。「每個人都很忙，總是很忙。你光說，說，說，說，像這是老鼠團團轉之一，忙碌生活中的一件小事。我告訴你，不是這樣的。太極拳是幫你逃離像老鼠般團團轉的生活，知道嗎？」

「喬治，我喜歡只有你跟我。」

「事情是會變的。」

「但我不喜歡變化。」

「變化是人生的一部份。」

「但我無法接受，我喜歡跟以前一樣。」

他搖頭，有點失去耐心，「太極拳跟變化有關，它教人如何適應變化。你難道不明白這個道理嗎？」

當賈思與那些人結束舞動手臂的動作，喬治宣布現在要開始進行推手的動作。我從來沒做過這個動作，連聽都沒聽過，但是當喬治要示範時，我假裝自己懂。

「推手，」他說，「中文叫 toi sau。不是用力，是一種兩人之間的感覺。可以是即席動作，也可以是固定動作，這牽涉到雙方的期待和預期。」

那就是全部的介紹了。喬治的話一向不多，他比較喜歡做給你看。

我模仿喬治的動作。我們面對面，採弓箭步，左腳在前，彎曲，是弓，右腳在後，伸直，是箭。我跟著他，輕輕用左手後肘對上他的左手後肘，沒有相碰。

他閉上眼睛，慢慢推向我，我維持手肘的位置，轉手，手背繞過他的手，讓他完成伸直手臂，然後我再慢慢把他的手臂推回給他。他接收到我的力道，跟著移動，再慢慢推到一旁。我們的手一直都沒觸摸到對方。

我們反覆動作。我們推，讓，回到中間，推，讓，回到中間，幾次之後，我也放心地閉上雙眼，完全放鬆，完全忘記那些穿西裝的人、賈思、個人工時與既定的圈圈，忘記我們自那場晚宴後的疏離，忘記醫生在等候室裡宣佈的噩耗，忘記樹枝上的霧氣、腫大的嘴唇、有缺口的牙齒，我就只是感覺皮膚與皮膚之間輕觸的感覺，給予和接受。我只是單純地感受我必須做得事，以及我必須成為的一種人。

有橘子的聖誕節

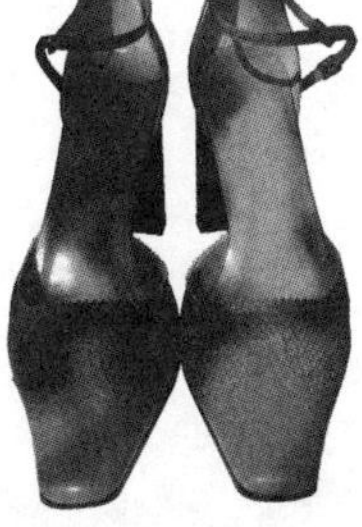

31

奶奶的白色小公寓突然到處都是陷阱，它們不斷提醒你，奶奶病了，她應付不來。對奶奶而言，樓梯變得太陡峭，她每走一階，就得停下來喘口氣；澡盆太高，必須由母親、紫梅或是奶奶的女性鄰居幫助她進出澡盆。轉瞬間，這個致死疾病會帶來的一切全都在敲她的門。

社區護士每天會為奶奶帶來食物，和一個傷痕累累的氧氣筒，她們會把東西放在奶奶常坐的椅子旁。

奶奶很想讓社區護士高興，就像她想讓每個人高興一樣，但白色小公寓是她的家。她知道這些人只是想幫忙，但她還是不同意社工人員的款待（那不是我做事的方式，親愛的，還是謝謝你們），她任憑食物發酸發臭（我只要吃點烤吐司，親愛的），氧氣筒對她的缺氧無濟於事（我想是空的）。

她照常生活，與女性朋友相約喝咖啡，吃蛋糕，聊天。聊天是人與人之間的連繫，是這類約會的重點。奶奶仍舊每週日到母親家吃午餐，每天都去雜貨店買點白麵包和火腿，再加上一堆茶包與餅乾。

當她開始感覺走路困難時，社工人員借給她一隻枴杖，那時奶奶翻著白眼，模仿步伐蹣跚的老者揮舞枴杖，那模樣還挺好笑的。

「喔，我記得過去的好日子。」她嘲謔地搖晃枴杖，連社工人員都覺得好笑。

奶奶應付癌症的態度，與她應付人生的態度一樣優雅、冷靜、幽默。

她會說：她不喜歡小題大做。

如果不提腫瘤帶來的疼痛與呼吸困難，日子似乎與從前沒什麼不同。早上去商店，下午做些簡單的家務，晚上看電視，我永遠也忘不了她歪歪斜斜地圈選節目表的樣子。

在這些日常生活中，我看到一些不尋常的事，所有愛我奶奶的人都已準備好與她共度難關。

我的爸媽每天都會分別去探望她，數不清有多少現在與過去的鄰居、朋友來拜訪她。再來就是紫梅，這個奇怪的女孩顯然對奶奶懷有特殊的感情。她會一晚又一晚從班士登搭很久的火車，就為了陪坐在奶奶身旁，一起看被圈出來的電視節目，和紫梅私人收藏的大厚板錄影帶。

紫梅會握著奶奶的手，撫摸她的前額，用手指梳她薄薄的白髮，好像這位老人是她最寶貝的東西。

社區護士與社工人員每星期都會來探望她一次。但是，單靠政府的照顧是不夠的，如果不是有這麼多人的鼓勵，我們簡直不知如何度過難關。

奶奶需要有人陪伴，因為她一人獨處太危險了，她隨時會失去知覺。有時奶奶以為自己只是打瞌睡，但事實上，醫生說那是因缺氧而導致的短暫昏迷。

看電視新聞時，她的頭會突然垂下，嘴巴張大，然後整個人往小壁爐跌去，有時我來不及反應，只見紫梅一把扶住她，再輕輕把她推回椅子。

幾次之後，我們就習以為常了，這類事件逐漸成為生活中不值敘述的小事。

因為還早，邱吉爾的教職員休息室空無一人。樓下有一兩個學生，但還沒人上來。我把背包丟在咖啡桌上，一張黃色的傳單飛到地上。我撿起來讀，發現它不是我們學校的傳單。

夢想機器
以傳統方式清掃你的辦公室
用手與膝

有一行插圖是五十個手持羽毛撣子的家庭主婦，性感加上家居感，像《神仙家庭》裡的珊曼莎，圖的下方有兩支電話號碼，一個是外縣市號碼，一個是手機號碼，兩個我都認識。

我幾乎可以聽見她在走廊另一邊使用吸塵器的聲音，在麗莎·史密斯辦公室裡仔細清理破舊的地毯。

「這是什麼意思？」我揮舞著單子問她。

潔姬開心地回答，「我沒告訴過你嗎？招攬生意啊。我在西區到處發單子，也想在這兒放幾張，雖然我已經在這兒工作了。」

看起來，她的心情很愉快，天曉得為什麼。

「夢想機器，」我哼了一聲，「妳的意思是，夢想機器是指妳。」

她臉色一沉，「有什麼不對？即使多一份工作，也不會影響我們的功課。你不介意吧？」

「我為什麼要介意？」

「我不知道。但我看得出來你介意，為什麼？」

為什麼？我怎麼說得出口。

我知道我不喜歡她在邱吉爾工作，用傳統的方式—手與膝—清掃我們的教室，我不要老師與學生看她的眼神好像她什麼都不是。我也不要她替柯克街那些高傲的人工作，或者，現在想想，我根本不要她替任何人工作。我不知道我要什麼，我希望她有更好的工作，我只能確定，我不要她繼續在這裡工作。

「這種清潔的工作，怎麼說，讓我心情不好。」

她大笑了一會兒，「讓你心情不好？跟你有什麼關係？它又不會讓我心情不好，你到底是在乎什麼？我不認為清掃有什麼不對。」

「是沒有。」

「勞力工作也是有尊嚴的。」

「我不是這個意思，我不是指勞力與尊嚴。」

「你說過，我的工作沒什麼好羞愧的。」

「是的。」

「可是，你覺得羞愧。」

「我沒有，我只是認為妳應該有好一點的工作，比打掃藍尼剛用過的馬桶好一點的工作。為什麼我會覺得羞愧？」

「我不知道啊，但你就是覺得羞愧。」

「胡說八道。我只是不明白妳為什麼非在我工作的地方做不可。」

「非常簡單，我必須在我可以工作的地方工作，我必須賺錢付帳單。我不能依賴任何男人，我可以依賴任何男人嗎？」

「艾飛，是你嗎？」

凡妮莎站在門口。她望著潔姬，潔姬也回望她。我不太確定，她們是否記得曾在我母親家見過彼此。

「對不起。」凡妮莎說。

「請進，」潔姬說，「妳沒打擾到我們。」

她們之間差不到幾歲，可是看起來卻像兩個世代的人。潔姬穿藍色尼龍工作服，凡妮莎穿一件帶紅黑數字Agnes B的衣服。她們來自不同的世界。

「我在找哈密栩，」凡妮莎說，「他有筆記要給我。」

「哈密栩還沒到。」

「好的。」

她再次回頭看看潔姬，努力搜索記憶。

「Je crois qu'on se Connaît（我相信，我們在哪兒見過面？）」潔姬說。我呆住了，直到我想起她修過兩科A級科目，媒體研究與法語。

「Non，」凡妮莎說，「我不認為我們見過面。」

潔姬微笑，她似乎想反駁。「Pourquoi pas?（怎麼沒有？）」

凡妮莎在門口待了一會兒。「艾飛，我走了。」

「待會兒見，凡妮莎。」

「C'était sympa de faire ta connaissance（同情我，記得我）」潔姬笑著說，「Ne m'oublie pas!（不要忘記我）」

「放她一馬吧，」等凡妮莎走開後，我說，「她也沒做什麼對妳不好的事。」

「要打賭嗎？她看不起我。」

「她為什麼要這麼做？」

「因為，我替她以及那些被寵壞的高傲人們打掃。」

「我很慶幸妳並不覺得難過。」

「我是應該難過。如果你得往上，而不是往下看這個世界，難道你不會難過嗎？」

「我以為妳在傳單上表現得是驕傲。」

她搖搖手。「可笑吧，髒東西老是黏在清掃的人身上，而不是製造髒亂的人身上。」

她提起輕型吸塵器，走向門口。

「但是，我告訴你。我不感到羞恥，我不需要因為我賺錢養家的方式而感到抱歉。我以為你會高興看到我多賺點錢讀大學。這是多天真的想法。」

「抱歉。」

「算了。」

「我是在毫無心理準備的情況下看到傳單。我一直以為妳就要上大學了。」

這就算是安撫了嗎？

「沒關係，我會在你來之前離開。你跟你的學生可以假裝這個地方有自動清潔的魔術。」

「請不要生氣。」

她轉過頭，吸塵器旁附帶的一些用具差點打到我的臉。

「我為什麼不要生氣？你是最壞的驕傲份子，你不能自己動手清掃，又看輕替你做這件事的人。」

「我沒有看輕妳。」

「但是，我讓你覺得不好意思。潔姬，清掃女士，這個想當學生的人。」

「妳沒有讓我覺得不好意思。」

「你不想讓人看到我跟你在一起，你不喜歡我講話的態度，不喜歡我穿衣服的品味，不喜歡我的工作。」

「那不是真的。」

「那天晚上，你之所以想跟我上床，只是因為你喝醉了。」

「我喜歡妳，我尊重妳，我欣賞妳。」

我很清楚，我說得是實話，但她不相信。

「是啊，當然。」

「星期六晚上跟我一起出去？」

「什麼？去哪裡？」

「我一個老朋友訂婚，我們許久沒聯繫了。他邀請我，現在我則邀請妳。」

「不知道，我得看看紫梅的意思，我不確定自己能不能去。」

「潔姬，妳不能恨把妳擋在外面的世界，又恨邀請妳進去的世界。不要當一個殉道者，好嗎？要不要跟我一起去？」

她考慮了一下。

「那我應該穿什麼？」

「穿妳一向穿得衣服，」我告訴她，「穿漂亮的衣服。」

這天還是到了，奶奶已經無法如往常般承受，越來越厲害的疼痛，愈來愈困難的呼吸。害怕會在公共場所睡著，害怕摔倒在路邊而沒有紫梅攙扶，所以，她開始待在家裡。

然後又過了一段時間，她變得只能待在床上，不再到商店，也不再有咖啡與蛋糕。現在沒有，也許以後永遠也不會有。

在這個世界上，只有奶奶對我的愛是無條件的，她的愛很簡單，沒有希望我做什麼，也沒有期待我成為什麼樣子的人。

奶奶只是單純地愛我。

我知道我就要失去她了。我握住她的手，焦慮地看著她的臉。看著她畫得歪七扭八的眉毛，我心都碎了。

「妳還好嗎？」我問了一個最笨的問題，但我急於得到她的保證。

「我很好，」她告訴我，「你也很可愛。」

直到現在，奶奶還是認為我很可愛。我有時不免懷疑她到底有多瞭解我，還是她從來就不瞭解我。

32

他應該有自己的園藝節目。

他黝黑結實，用黃色橡皮筋綁起過度曝曬的頭髮，身上穿著紐西蘭球隊的襯衫。

這個園丁挺會穿衣服的。他看起來至少有五十歲了吧？姑且不論那雙太空時代的球鞋，以及有數不清口袋的戰鬥彩色短褲。他的身材保持得很好，有澳洲與紐西蘭人特有的溫和開朗，至少，他有那種家鄉生活容易愉快的感覺。

母親與喬伊絲看著他熟練敏捷地修剪玫瑰花圃。

「春天快到了，」他說，「該是把那些老舊、不開花的枝幹剪掉，讓出空間給新枝的時候了。」他笑得很開心，手上的工具不斷發出「卡嚓，卡嚓，卡嚓」的聲音。

他就這麼剪掉母親的玫瑰，我以為她們會不高興，沒想到兩人都很贊同他的建議。

「你幾歲？」喬伊絲問他。

「哈，哈！」他說，「哈，哈，哈！」

「園丁的薪水不少吧？」她問，「你結婚了嗎？」

他臉紅了。他雖然穿得很時髦，但骨子裡應該是個內向害羞的人。壞蛋不會臉紅，是吧？我老爸就不常臉紅。

「我看你就剪到新芽上面一點點。」母親維持主人的口氣。

「這些年輕女士眼睛很尖。」他說，現在換成我母親臉紅了。這位園丁正經八百地說，「巴德太太，應該剪到想要的高度上方一點點。」

「不是巴德太太，」喬伊絲提醒他，「她已經離婚了。」

「喬伊絲！」

「她現在單身。」

「她很漂亮，不會單身太久的。」

母親頭往後仰，笑得很開心。

「是的，」她說，「而且我太聰明了，不會再結婚。」

「巴德太太，永遠不要說不會。」

「叫我仙蒂。」母親說。

「仙蒂，」園藝工用欣慰的語氣說，「仙蒂。」

事情不該演變成這個樣子的。現在的母親像是重獲新生，而逃離的父親則被合夥人拋棄。

事情怎麼會這樣呢？

母親把意外破裂的生命又一塊塊連接起來，她在花園尋回自己，找到喬伊絲的友情，這都是因為父親打開了門，才使這一切發生。

母親幫喬伊絲減輕胃痛，注意她的飲食，一起在花園工作。父親卻喝酒過度，成天吃垃圾食物，又一事無成。他的驕傲看起來有點悲哀。自我有記憶以來，這是他第一次看起來比實際年齡老。

他獨自住在租來的小屋子，他迷失在兩個生命之間：一個有我母親，有家庭；另一個有莉娜，有再一次的愛。但是現在，母親與莉娜都走出他的生命，他不再擁有家，也不再擁有愛情。他就這麼站在中間，吃外賣披薩，住租來的房子，他是個過學生式生活的六十歲男人。

我每天都會在奶奶那兒見到他。他會跟母親討論一些該做得事，例如她能住在這裡嗎？該搬嗎？醫生怎麼說？醫生下回什麼時候來？

我的父母對彼此很有禮貌。父親用一種沉痛、正式的態度對待母親，他自知他離開家的方式帶給母親可怕的傷害，或許需要好幾年的時間才會痊癒。她則用再自然不過的態度對待他。母親只有在他們兩人無法決定是否送奶奶到療養院時才會喪氣、憤怒，因為那件事讓她有很深的罪惡感。

我老爸只有跟我在一起時，才會鬧彆扭。

母親離開之後，我把《The Point of No Return》放進音響，因為奶奶喜歡聽音樂睡覺。這是辛納屈最好的作品之一，是他在一九六一年替Capitol錄製得最後一張唱片。雖然有許多歌迷認為他是為了履行合約才不得不錄這張唱片，所以品質不佳，但我認為裡面其實有不少好歌，包括〈I'll Be Seeing You〉、〈As Time Goes By〉和〈There Will Never Be

Another You〉。

辛納屈唱起那些歌時，會讓你覺得不再那麼孤單。

「一定要是辛納屈嗎？」父親說，「天啊，我已經聽了十八年了。」

「她喜歡。」我說。

「我曉得她喜歡。我只是說，也許有時該換點不同的音樂，像靈魂樂或其他什麼的。」

「她已經八十七歲了。」我很慚愧我們竟然還在為音樂爭執，而我的奶奶，他的母親，卻正在隔壁房間被癌細胞吞噬。

「比吉不是靈魂樂。」他說。

「那他們是什麼？」

「一群獠牙小鬼。」

「喔，你是在展現你是個用字有力的作家，是吧？」

「我現在沒有在工作。」

「你總是沒有在工作。」

紫梅來了之後，他開車送我回家，我發現我希望自己能多恨他一點。雖然他目前生活得不愉快，但那是他自找的。他會不會感到悲哀？

他真的該受這些處罰嗎？

就因為他想要再一次的機會？

「他們認識蘿絲嗎？」離開我的公寓時，潔姬問。

她今天穿了一件西方人設計的旗袍，亮麗的藍色，紅色鈕扣，裁剪合身，不若往常火辣。事實上，她看起來很美。

「妳是指誰認不認識蘿絲？」

「今晚我們要碰面的那些人。他們認識你太太嗎？」

「賈思認識她。他跟她一起在香港做過事，他也是律師。其他人則不認識。為什麼問這個問題呢？」

「我只是想知道，我會不會被別人拿來跟蘿絲比較。我想知道，他們會不會看著我說：『喔，她不像蘿絲，她不是我們的蘿絲。』」

「沒有人會拿妳跟蘿絲比較。」

「真的？」

「真的，她從來就不是他們的蘿絲。他們不認識她。只有賈思，而他不是……不會……天啊，潔姬，我們走吧？」

「我看起來如何？」

她用手撫平兩側，這個小小的、沒安全感的表現，讓我的心抽動了一下。

「妳看起來不可思議的美麗。」

「真的？」

「真的，不可思議是很恰當的形容詞。相信我，我知道如何用詞，我是英文老師。不可思議，難以置信，驚人的。真的。」

她笑得很開心。

「謝謝。」

「別客氣。」

「我只是覺得，蘿絲是一個十全十美的女人，沒有人可以跟她比，沒有人可以像她那麼好。」

「潔姬——」

「這個十全十美的女人從來不會說錯話，永遠穿著得體，美麗大方。」

「妳怎知道她看起來是什麼樣子？妳怎麼知道她穿什麼衣服？」

「我看到許多她的照片，在你的神龕，對不起，在你的公寓裡。」

「聽著，妳沒必要跟蘿絲比，也沒有人會拿妳跟她比。」

「真的？」

「真的。」

除了我吧，我想。

但，那與個人無關。

自從蘿絲死後，我都會把我碰到的每一個人，拿來跟蘿絲比。

我就是無法克制自己。

我看著她們——優美，弘子，凡妮莎，歐嘉，潔姬，每個人，即使是聰明的、漂亮的，

甚至是這個不可思議的女孩—而我總是得到同樣的結論。

那不是她。

33

有人替我們開門，我們上到這棟位於Notting Hill的房子的三樓。我在門外就能聽見裡面派對的吵嚷聲、笑聲和玻璃杯的碰撞聲。我正要敲門時，潔姬阻止我。

「等等。」

「怎麼啦？」

「艾飛，我不知道。我是說，我真的不知道。我來這裡做什麼？為什麼要來這裡？什麼理由？真的？」

「與我的朋友見面，」我說，「度過一段愉快的時光，好嗎？」

她不太確定地搖搖頭。我還是敲門了，最初沒人應門，我再更用力敲門，這次泰姆芯來開門了。她比以前更漂亮，友善地對我微笑，似乎把之前的事忘得一乾二淨了，她表現得好像我是她最好的朋友。我真的很喜歡她，她的善意、熱情，使我卸下防衛的外衣。我們互親臉頰，擁抱對方，然後她好奇地轉向潔姬。

「我喜歡妳的衣服，」泰姆芯說，「妳在哪裡找到的？張天愛服裝設計？上海灘？」

「不是，」潔姬說，「艾塞克斯的巴西頓。」

沉默了幾秒之後，泰姆芯仰頭大笑，「妳一定是在開玩笑。」

「如果妳喜歡，我可以給妳地址。」潔姬不太確定地笑笑，「在市場旁一家叫蘇絲黃的店。他們說辣妹去過，但我不相信。」

「請進，請進。」泰姆芯領我們進去。

屋裡到處都是人，每個人似乎都互相認識。有人塞給我們盛有香檳的酒杯，有個女人開始大叫，因為她看到泰姆芯的訂婚戒指，正抓起她的手到處展示。這些人很喜歡誇大喧染，以近乎危言聳聽的語氣聊著房屋稅、私立學校和工作。

賈思正在客廳中央表演他的太極拳。

「一位嬌小的中國人教得，他很行。太極拳對紓解工作壓力很有幫助，讓你可以跳脫既定的圈圈思考。」

賈思開始舞動他的手臂，香檳從杯子裡濺出來。

「喔，我知道太極拳。」印蒂亞說，她就是上次我在這兒吃晚餐時見過的女人，「就是有那個黑人表演得錄影帶。」

「親愛的，那是有氧拳擊。」有人說。大家笑了，笑她可愛的無知。

「太極拳，有氧拳擊，拳擊，對我來說都一樣！」印蒂亞咯咯笑。

「他們是如此有自信，」潔姬小聲地說，「即使是在說一些很愚蠢的話。」

我記起印蒂亞的丈夫丹尼，還有那個胖女孩珍，她的體重似乎減輕不少，身旁還多了位男人。她冷淡地朝我點頭，這不能怪她。丹尼則不客氣地瞪著我看，我猜他大概有熱帶魚的記憶庫。

「賈思要結婚了，」丹尼說，「女人如何知道她丈夫死了呢？」

「性還是一樣，但可以用搖控器。」潔姬說。

「女朋友和太太的區別是什麼？」賈思問。

「四十五磅。」潔姬說。

「男朋友和丈夫的區別是什麼？」賈思又問。

「四十五分鐘。」潔姬說。

「很好笑。」丹尼說。

潔姬與我還挺愉快的，我們喝了不少香檳，互相依賴。派對在我們身旁旋轉。英國中上階級的一些習慣讓我想起廣東人，那種堂皇的一視同仁。他們真的不在乎你，他們就是不在乎你這隻小猴兒，雖然那不算是客氣，但卻不會引起你的反感，有時，妳反倒可以因此和他們自然地相處在一起。

直到有人問了潔姬一個標準的城市中上階級問題，才讓一切改觀。

「妳在哪裡高就？」

發問的是珍。那個從前的胖女孩，她的文靜男友正站在她身後，緊緊摟住她的腰。雖然我知道那不過是一個普通的問題，但我還是覺得，她是故意的，以報復我上回的冷漠。

「我在哪裡高就？」潔姬說。我的心開始往下沉，眼看著今晚的一切就要毀在珍手上。嗯，我以前還認為她很友善呢。

「是的，妳做什麼工作？抱歉，我記不得妳的名字。」

「潔姬。」

「潔姬。」珍的語氣好像潔姬是個古怪、從沒聽過的名字。嗯，或許對她來說正是如此。

「我有自己的公司。」潔姬說。

他們都以佩服的眼光看著她，這群渴望成為資本主義成功一方的人，開始猜測潔姬時髦、有前途的公司，是網路公司？還是一個在蘇活區有間小辦公室，野心勃勃的個人公關公司？或是服裝公司？嗯，她今晚的衣著挺吸引人的。

「夢想機器。」潔姬說，「這是我公司的名字。」

「夢想機器。」珍的聲音裡滿是妒忌和尊敬，「哪個行業？」

「喔，」潔姬說，「清潔公司。」

我想阻止她往下講，我想帶她離開桌子，但是香檳、禮節以及滿室好奇的表情，激勵她繼續往下說。

「夢想機器負責打掃許多西區的辦公室，我們的廣告是這樣的：傳統式清潔，用我們的手與膝蓋。」

「錢，」賈思說，「這工作保證有不少錢。不能比喔，高級主管廁所的鑰匙。」

「難以相信！」印蒂亞這樣說，好像從來沒有人想過賺清潔辦公室的錢。

潔姬開心地笑了，非常滿意，我鬆了口氣，以為她度過了這個難關。

但是沒有，珍還在看她。

「所以妳有一群拖把太太在抹擦整個倫敦市?」

我在心裡恨恨地想:幸好我那時沒給妳好臉色看,妳這個冷血動物。

「不,」潔姬說,「只有我一個人,如果有必要,我會找朋友加入。但平時就我一人。」

「喔,」珍說,「所以妳是拖把太太。」

然後,他們全都大笑,但她沒有辦法跟他們一起笑,她怎麼能假裝沒什麼似地嘲笑自己呢?落單、傷害,她的人生已經夠苦了,苦到不能把這個時候看得太嚴肅,不能把所有的事情看得太嚴肅,所以她只能呆站在那兒臉紅,而珍、印蒂亞、賈思、丹尼,以及珍的四眼男友,全都放聲大笑。

然而,除了珍,我知道他們沒什麼真正的惡意,他們很快說起分擔家事的政治話題,嘰嘰喳喳說起一堆雜事、女性的責任、總得有人清馬桶之類的事,然後說到可靠的清潔人員有多難找等等。此時,潔姬拉拉我的衣袖,她的臉還在發燙。

「我想走了。」

「妳不能走。」

「為什麼不能?」

「這樣他們就贏了。」

「無論如何,他們還是會贏,他們總是贏家。」

我們最終還是留了下來,但是派對已經變得無趣。她無法專心,只與主動找她說話的人聊天。我把她拉到角落，跟她聊壁紙的花色、泰姆芯的戒指，以及任何我可以想到的垃圾話題。離開之前，她去洗手間，賈思趁機拉我到一旁。

「我喜歡她，」他說，「她很友善。」

「我也喜歡她。」

「但是，我的老朋友啊，什麼時候你才會找個合適的女人？」

「什麼意思？合適的女人？」

「你總是……怎麼說呢……找不合適的女人。年輕的外國女生是很不錯，可以每個禮拜換口味。但我不懂，你知道的，我也有過類似的經驗。可是，你不可能是認真的，難道你打算讓那些火辣的小東西持續一輩子。那是不恰當的。然後現在又來個拖把太太，逗趣的棍子。」

「別這麼稱呼她。」

「抱歉。但是，艾飛，你什麼時候才能認清事實呢？她不是蘿絲對吧？」

「我認為蘿絲會喜歡她。我認為蘿絲會覺得她不但聰明，而且有趣。」

「喔，很明顯的，她有稜有角，似乎很會說話。」

「這我就不知道了。」

「靠著替人打掃賺錢，你到底欣賞她哪一點？我是說，人不能只是因為窮，就變成好人。」

「她獨立扶養小孩。她有個十二歲的女兒。這樣的人很有勇氣。」

「她有個小孩！天啊，我認為有勇氣的人是你，艾飛。我就不會和一個有小孩的女人約會，請原諒我的用詞，但是小孩老是會提醒你，有人比你早到。」他舉高酒杯，向我致敬。「你是比我仁慈。」

「賈思，我從來沒有懷疑過這點。」

我們大笑，但不是那種充滿溫暖或幽默的笑，我開始懷疑自己在這裡和這群人攪和什麼。我沒地方去嗎？還是，我其實淺意識裡想與他們在一起，一起聊這些沒營養的話題，隨意笑鬧，不在乎陽光底下的其他事？或許，那才是我真正的問題。

「下半身殘廢的女人叫什麼？」丹問。

「婚姻。」賈思答腔。全屋子的人大笑，我與潔姬正好要離開。

我們坐在計程車裡，潔姬一路沉默。

「我認為妳是她們之中最漂亮的，」我說，「也是最聰明的。」

「我也這樣認為，但為什麼我的心情會如此不好？」

我無法回答她的問題。

我看著她上了回艾塞克斯的火車，她沒有回頭，等我要轉身走開時，她才伸出頭，笑著朝我招手，像是在說：別擔心，他們不能傷害我太久的，一切都會好轉。

她很勇敢。就是這個詞，非常恰當的形容詞。潔姬是一個勇敢的女人。

喔，我心想。

那可能是她。

34

有時，我會夢到死去的人。天堂，另一個世界，死後的世界，不管那叫什麼，都會在我們的夢裡出現。

蘿絲死後，我曾在夢裡見過她，只有幾次，不是很常。夢裡的情節是如此真實，就像我們第一次見面、結婚、死別的那些時刻般真實，我永遠也不會忘記。

我還無法搞清楚那些夢，是因為悲傷，還是真的是她？對我來說，那些夢比我清醒的時候真實多了。

在夢裡，蘿絲走在她童年住處附近一個叫南綠地的地方，那是一塊草坪，旁邊還有一排商店，我們站在那裡，中間隔著一道佈滿草的牆。蘿絲像往常般溫暖，臉上掛著奇怪的笑容。我要求她留下來，她卻只能回以悲傷的眼淚。

她很快樂，但必須離開，這讓她傷心。

死去的人會回到我們的夢裡。

就說法蘭克．辛納屈吧。如果你要拜訪他，你得到加利福尼亞的棕櫚泉，再到沙漠紀念公園，然後你到B—八區，一五一號地，就可以找到他。

我從不喜歡去墓地，自從葬禮後，我就沒再去過蘿絲的墓地。其實，去她的墓地並不會使我傷心，相反的，我很喜歡走在她成長的地方。我之所以不去，是因為我不相信她真的在那裡。就像我不相信辛納屈會在加利福尼亞的棕梠泉，他在別的地方。蘿絲也是。

如果你想要紀念死去的人，或者，你想見到死去的人，那麼，你得仔細查看自己內心深處，因為他們會在那裡，他們在那裡繼續他們的生命。

奶奶已經開始看見死去的人，甚至在她清醒的時候，他們也會來找她。

我幫奶奶買了一支無線電話，並貼上她常打的號碼，包括我、母親、父親、紫梅、一些她的老朋友，以及醫生。第二天她告訴我，她的丈夫非常體貼，已經幫她預存了好幾個電話號碼。我的爺爺已經死了十二年了。

我不知道該說什麼。我是該笑她，還是該提醒她她的丈夫早就不在了？我無法決定，我怕她會因為自己分不清我與爺爺而生氣。

「奶奶，」我說，「妳記得嗎？是我幫妳預存電話號碼的，不是爺爺。」

她看了我一會兒，然後突然生氣地搖頭。我不知道她是在生自己的氣，還是在生我的氣？

奶奶越來越常提起死去的兄弟和丈夫，有時甚至還會說起她的父母，以及她早夭的女兒，也就是我的姑姑。父親在《有橘子的聖誕節》的第一章就提到他這個帶給全家悲傷的姊妹。

奶奶在說到這些死去的人時，表現得好像他們還活生生的在這兒。紫梅畢竟是個才十三歲的小女孩，還未曾經歷過死亡，她被奶奶的言語嚇得不知所措。

「艾飛，嚇死我了，她說得好像是真的。」

「紫梅，或許對她而言，是真的。」

紫梅坐最後一班車回家。我陪著奶奶，直到她入睡，雖然，白天黑夜對她來說已經沒有太大的差別了。

我們聽辛納屈和小山米的老歌，那些五十年代歌頌人生與愛的歌，充滿希望與喜悅。奶奶的床圍繞著她失去的兄弟、丈夫、孩子、老朋友以及她的父母，鬼魂漸漸比活著的人真實。

當我發現自己會為潔姬的考試擔心時，我有點訝異。剛開始，我以為是自己冬眠許久的教書熱忱被喚醒了，但後來我發現事實不只如此，她喚醒了我與一個喜愛的人在一起的樂趣。

我們一起看書，一起討論甚至爭論，或者什麼也不說，我發現，我很珍惜與她相處的每一分鐘，我是如此喜歡和她在一起。

潔姬是我教過最好的學生。她的心思敏銳、好奇、具挑戰性。她非常用功，即使在百忙之中，她也一定會把功課準備好。

自我在黛安娜男子綜合中學教書以來，她是第一個帶著黑眼圈來上課的學生。

「妳怎麼啦？」

「撞到又硬又厚的東西。」

「一扇門？」

「我的前夫。」

「天啊，潔姬，妳應該報警。」

「因為家庭暴力嗎？別開玩笑了，警察不會處理家庭暴力事件。」

「不是家庭暴力。怎會是家庭暴力？你們已經沒有婚姻關係了。」

「傑米還不能接受這個事實，他老是在公寓外面徘徊，甚至跟蹤我。」

「他會與紫梅見面嗎？」

「斷斷續續。他比較關心誰跟我睡覺。我告訴過他，我沒有，但他不相信。」

「他打妳，是因為他以為妳跟別人睡覺？」

她苦笑，「我的前夫很容易吃醋。事後他總是道歉，他說那是因為他太愛我。」

「他懷疑妳跟誰睡覺呢？」

「這……」

有人按我的電鈴。

「不要開門。」潔姬說。

「不會是他吧？他跟蹤妳到這兒來？他這不是吃醋，他是發瘋了。」

「艾飛，真的別開。」她有點害怕地說。我從沒見過她害怕，這激怒了我。「不要讓他上來。」

「我不會讓他上來這裡的。」

「感謝神。你不要理他。」

「我下去見他。」

「艾飛！」

我走樓梯下去，看到一個大陰影在玻璃門的另一邊。我撞開門，看到的是一個發胖的運動員，肌肉還在，只是加塗了一層垃圾食物與啤酒，不過我看得出來他以前應該長得不錯，高大，還有一頭深色頭髮，以及一張危險性的外表。他像個典型的球員，瀟灑，但不是真正的漂亮，而不如意的生活又讓他變得苦悶、刻薄。他像那種你會想敬而遠之的保鑣。

潔姬的傑米。

我還沒來得及說話，他就已經用那隻毛茸茸的手臂圍住我的脖子，把我甩到馬路上，然後用力推我，讓我撞向一排垃圾桶，我跌坐在地上，傑米則抓起一個垃圾桶蓋子打我的頭。

我想起大厚板。不是有人用垃圾桶蓋子打過他的頭嗎？那時大厚板是怎麼反擊的呢？可惜我想不起來，所以，我只能這麼坐在地上挨打，用手抱住頭，我覺得屁股很痛。

「離我太太遠點，你這個混蛋！」傑米用一種已經很少聽到的倫敦口音，對著我大吼，「不要灌輸她回大學唸書的想法！你跟你的爛書！給她那些無聊的想法！不要用你的髒手碰她！」

鄰居從窗戶探出頭來，想一窺究竟。潔姬這時已趴上傑米的背，不斷用手打他的頭。

我有種感覺，雖然挨揍的是他，但被羞辱的是我。

「你這個笨蛋！」潔姬對他大吼，「老師是不會跟他的學生睡覺的！」

那可不是真的，但我還是感謝她的幫忙，如果不是潔姬，他不知道什麼時候才會住手。

「離她遠點，」他喘著氣說，「不要讓她以為她是誰，她什麼都不是。」

他轉頭走了，潔姬拉我站起來，撥掉黏在我衣服上的披薩、蛋炒飯和印度咖哩。

「你問過我，我的婚姻是什麼樣子。」她說，「就是這個樣子。」

他們常說，某某人如何勇敢地與癌症抗爭，但是，到頭來，癌細胞還是會把你吃掉。那麼，勇敢又有什麼用？

「這不是我，」奶奶悲傷地說，「這不是我。」

她很痛，很痛。過去，她用幽默感和勇氣來與這場病爭鬥，現在，她的生命卻只剩下這個無法忍受的痛。

她一向不是個自憐、絕望、害怕、軟弱、悲觀的女人。但是現在的她已經明顯知道這種疼痛已經遠超過她能忍受的程度，她在打一場永遠不會贏的仗。這種時候，所謂的幽默感、勇氣與冷靜已經沒有什麼意義，因為結局早已決定。

癌細胞偷了她的知覺。

我站在洗手間門口等她。有些事情，父親與我還是必須依賴母親、紫梅、喬伊絲和奶奶的女性朋友幫忙，這是為了她的尊嚴，也是為了我們的尊嚴。即使癌細胞已經來到眼前，我們仍舊沒有進過洗手間幫她，也沒有幫她洗過澡。

但今晚不一樣。她一整天都沒吃東西，甚至沒喝多少經過稀釋的橘子口味礦泉水，我才幫她上床躺好，關了燈沒多久，我就聽到她的呻吟。

我走進房間，發現她在悲泣，我很快聞到味道，馬上猜出發生了什麼事。臭味是從床上發出來，這從來沒有發生過，我愣住了，有點不知作何反應。

我只能不斷安慰奶奶說沒有關係，沒什麼，雖然我掀開床單時看到一堆污穢的東西，而且到處都是，包括她的睡衣、床單和她的手。我深受驚嚇，懷疑自己是否能夠度過這個難關，現在除了我，沒有人可以幫忙。

她的苦惱幫了我，她的不好意思讓我堅強起來，同時又讓我心軟，「喔，艾飛，我沒留心，實在是很丟臉，喔，看看我竟然這麼糟糕，艾飛。」我全心全意地愛她，做這些事根本不算什麼，這是我該做得，一點都不勉強。

雖然這並不容易，但一點都不勉強。

我扶著她慢慢下床，告訴她沒有關係，我們可以一起把這些處理好。我帶她去浴室，幫她脫掉弄髒的睡衣，然後打開熱水讓她洗澡。她一直在哭泣。這是我第一次看見奶奶裸露的身體，我一邊用毛巾幫她擦洗，一邊溫和地安慰她，就像一個母親在對待她的孩子，就像過去奶奶對待我一樣。

35

曾與優美在邱吉爾的門口發傳單。他們變得和以前不太一樣，成熟多了。

曾今早到附近的一家大學面談，所以穿了一套正式的西裝，原來雜亂的頭髮也已梳理整齊。優美因為即將回日本，所以不再染髮，原本的金黃稻草開始出現黑亮的頭髮。

「曾，面試如何？」

「我打算十月開始修讀管理碩士，管理碩士目前在中國很吃香。不過還得看考試成績，唸管理碩士的話英文能力要很好。」

「你會有足夠的分數唸的。」我轉向優美，「妳呢？妳看起來跟以前不同了。」

「我要上班了。」她說，「是東京的一家大公司。在日本企業工作不能染黃色頭髮。」

她遞給我一張傳單，乍看之下很像我們的宣傳單，邊緣的部分還是萬國旗，中間也仍是邱吉爾，但這次邱吉爾握得是小喇叭，而不是雪茄。

請來邱吉爾的卡拉OK

期末歌唱會

向你的朋友道別

在樓上的教職員室，哈密栩與藍尼也在發送同樣的傳單。

「要命的卡拉ＯＫ，」藍尼說，「舞蹈課已經死了。過去有一段時間，期末歡送會流行跳迪斯可。」

「藍尼，五十歲以下的人已經沒人在說迪斯可了。」我告訴他。

「在閃光燈下扭來扭去，」他不理我，逕自陷入回憶，「親密地跳著慢舞。現在卻流行卡拉ＯＫ，站在那裡像隻英國南部的烏鴉，跟著銀幕上的小跳球嘶叫，畫面都是一對對男女漫步沙灘。這有什麼好玩呢？」

「有趣的是，一些流行卡拉ＯＫ的國家，通常是不鼓勵表達個人感情的國家。」哈密栩接著說，「像中國、日本，那些東亞社會的規則就是別在公眾場合表達個人感情，但是可以在歌曲中表達自己。」

「相反的，在這裡，如果要表達自己的感情，你可以到公共廁所脫下褲子。」藍尼說。

「艾飛，你會去嗎？」

「我不確定。」

「開什麼玩笑？」藍尼說，「對學生來說，你是個傳奇人物。他們都很欽佩你的拿手本事。」

我大概不會去邱吉爾的卡拉ＯＫ，但是我與他們兩人的理由不一樣。我在香港待得夠久，早就習慣卡拉ＯＫ裡的侷促。

我不去，是因為我知道那會是一個長長的道別晚會，那會是一個年輕、開放、又五音不全的晚會，而很快的，大家都會永遠失去他們的金髮。

我看著學生練習未來式，還有簡單現在式，未來式，現在進行式，未來進行式。優美與曾，你離去，你碰面。弘子與敬恩，你即將旅行，你將會遇見。凡妮莎與維托，我開始進行，她要走了。除了歐嘉，她已經休學走了，與男朋友消失在城市裡。妳將要去哪裡？妳將要做什麼？

我發現我會非常想念這些學生，非常想念。

他們仍然每天來上課。事實上，因為考試將屆，他們出席的次數還比以前好很多，除了李將軍田納西廚房、愛蒙得弗里拉和牛排館，他們取消了所有晚間活動。他們開始談論他們之後的新生活。他們在邱吉爾語言學校的生活就要結束，很快就會離開，只有我會留下來。我已經開始想念他們了。

我想事情就是這個樣子，年復一年，不過是換了另一群臉孔，我就要如此週而復始，來回於一連串永不結束的哈囉與再見。

你將會離去。你將會遇見。

我的學生心情愉快。他們不停談論回家，談論留在倫敦拿學位，談論到遠處旅行。他們年輕，對每件擺在他們面前的事都很興奮，旅行、求學、工作，無一不是冒險的歷程。然而，他們對新生活的熱切，反倒讓我心情沉重。

你才剛開始熟悉一些人，他們就要離你而去。

「那會是什麼樣子呢？」我問潔姬，「學生生活，在格林威治大學修讀學位。妳想那會是什麼樣子？」

她坐在公寓靠窗的地方，正在收拾書本準備回家。課程已經結束，考試也快到了。她的新書已經變舊，白晝也越來越長。

「我還不曉得能不能當學生呢，得看我的英文考試成績。」

「妳開什麼玩笑？我從來沒見過像妳這麼用功的人。妳會得到好成績的。快嘛，告訴我妳想像中的學生生活是什麼樣子。」

她笑了。

「我只記得十二年前的學生生活，我不知道現在的學生生活是什麼樣子。我會比其他的學生老，還結過婚，有一個小孩。大多數學生去參加狂野派對的時候，我則會去工作，你知道的，我還得工作。」

「妳會比以前快樂嗎？」

「我知道我會比以前快樂。這是我一直想做得事，這對我的人生來說很重要，為我自己，也為我的女兒。我覺得那可能會很有趣，想想，我會讀一些優秀作者的作品，然後彼此討論，跟一群喜愛書的人在一起，一群不擔心發表自己想法的人，我簡直等不及了。」

我可以想像她當學生的樣子，那個她一直想當的角色。我知道她的努力還不算太晚，她仍年輕，又夠聰明，理應還有第二次機會，她會表現得很好。是的，她會比其他學生大十歲，但她有足夠的聰明才智，可以在任何團體中出類拔粹。不會再有人用「抹布太太」諷刺她，因為對學生來說，有份低薪的半職工作是很正常的事。我可以想像她成為一個發亮的學生，在課堂上勇於發言，她會用有意義的問題敦促懶惰的老師，鼓舞優秀的同學。她會穿著緊身上衣，埋首於討論卡森．麥克勒絲的論文，她會讓那些年輕男孩感動。嗯，或許，她會改變穿著。

「我不想和妳失去聯繫。」我有點臉紅。

「什麼？」

「我不要妳就這麼從我的世界裡消失。」

「消失？」

「我是說，我只是想保持聯絡。我想不出為什麼我們不可以保持聯絡。」

她把手放在我的肩膀上，好像有點可憐我。

「我們會一直是朋友。」她告訴我。

我們還沒開始，我就已經失去她了。

奶奶的病已經不允許她再住在小白色公寓。那裡是一個老人的住家，而不是一個病人的住家。

如果我們是個像張家那樣的家庭，事情就容易處理多了。我們用不著事先討論，就可

以直接把她搬到上海龍樓上，以方便照顧。我的家人散住在城市的不同角落，其實我們不能算是一家人，父親，母親和我，我們都是單獨居住。諷刺的是，我們三個人的住處沒有一個適合奶奶。母親的房子太多樓梯，我和父親則都住在租來的小公寓裡，空間不夠。

我們真的想要當一家人。但太遲了，已經有太多事情發生，我們永遠不會像張家一樣。

「在中國，長子有責任照顧父母。」喬伊絲這樣告訴我母親，「這裡，反了，老父母還在擔心大孩子。這裡每件事都反著來。」

我們討論過其他的方法。我們原想讓她住養老院，可是她的病太重了，所以不適合。但我們又捨不得她去住療養院，捨不得把她帶到一個陌生的地方去等死。

我們可以考慮送奶奶去醫院，但是奶奶很怕那個地方，比死還怕，所以只要我們還有其他選擇，我們就不會送她去醫院。她的醫生很高興看到她不必住院，即使病情已經到了末期。我不太確定他是因為仁慈，還是因為醫院沒有足夠的病床，也許兩者皆是。

後來是我母親作主，叫一家公司馬上來裝輪椅升降機。

安裝輪椅升降機的公司一定已經習慣於這類十萬火急的要求，當然啦，需要裝這個的誰不急？於是很快的，一個年輕的工人前來母親家裝設，那種機器初看似乎有點危險，但等他裝好測試時，感覺又很溫和好用。

之後，奶奶來了，穿著她最喜愛的Marks & Spencer白色睡衣，上面有許多小朵玫瑰花。她的臉色因為長期生病而顯得蒼白，身體脆弱的連我都不太敢碰。我們興奮地教她怎麼使用輪椅升降機，好像她是一個太小的小孩，剛收了一個不太清楚如何使用的聖誕禮物。

父親和我一起幫她坐進輪椅，沒想到她因為太虛弱而突然往前倒，我們馬上跳起來扶住她。我們從未想過，她可能會因為太虛弱，而根本無法使用輪椅升降機。

母親開始解釋使用方法，諸如怎麼讓椅子移動、怎麼停下椅子等等，我不確定奶奶聽進去多少。她一點都不像廣告上那些因為裝了輪椅升降機而興奮不已的女人。奶奶看起來像是，她從來沒想到過自己的生活會如此痛苦，如此不舒服。

然而，她還是給我們一個微笑，即使到了這樣的地步，她還是不願抱怨，她還是想讓我們開心。

「很好。」她說。這已經是最好的贊同。

很好。

然後她試著按那些裝置，我們，包括奶奶都開始大笑。雖說是大笑，但笑聲其實很小，聲中帶著些許訝異和興奮。椅子慢慢上升，把她推上樓。

她看起來像一個小老天使，穿著Marks & Spencer白色睡衣升上天堂，她因為好玩而笑著回頭往下看我們。是的，是好玩，但最重要的是，她不要我們擔心，她不要麻煩我們。

36

這不是我，奶奶一遍又一遍地告訴我。在生命即將走到盡頭的這段日子裡，奶奶的神智很清楚。

她很勇敢，不自私，有趣，而且關心每一個人。我打從心底愛她。

「那個女孩呢？」

「奶奶，什麼女孩？」

「那個好女孩。」

我微笑，「喔，那個好女孩。」我以為她指蘿絲，「蘿絲死了，記得嗎？」

她不耐地搖頭，「不是蘿絲，我知道蘿絲。我也不是指那個日本女孩，我知道她甩了你。我是指有一個漂亮眼睛女兒的那個。」

「潔姬？」

「潔姬。你要好好把握她，她是個好女孩。」

「奶奶，妳說得對，她是好女孩。」

「艾飛，我希望看到你定下來。」

我以為奶奶會帶著恐懼的心情死亡，沒想到她是帶著愛等候死神。我想，恐懼已經過去，癌症所帶來的千萬個無聲的侮辱也已經過去，你漸漸學會如何全身而退。最後只有愛會留下來，愛的力量遠超過恐懼、悲傷，還有最糟糕的感覺—失去。

對現在的我們而言，已經沒有白天黑夜的差別了。我們三個人輪班照顧奶奶，凌晨兩點，我會接替父親。我在想，如果蘿絲和我有幸有個孩子，照顧小嬰兒一定就像這樣。唯一不同的是，我們現在是在生命的另一頭。

我不相信奶奶今夜會走。太早了，應該還可以拖個幾天。她看起來似乎還好，疼痛減輕了些。她沒服止痛劑，心智清楚，她走得很平和。

她的頭髮散在枕頭上，銀白中參差著金黃色，那是母親幫她染得。她的眉毛很整齊，也是母親幫她畫得。她吐了一口氣，閉上眼睛。

我太累了，正坐在床邊的椅子上打瞌睡。

她的聲音弄醒了我。

「爸爸，媽媽。」她說。

「妳想……妳要我叫他們嗎？」

「是我的爸爸媽媽。」

「奶奶？」

「他們在這裡。」

「妳還好嗎？妳要……」

「艾飛？」

「我在這裡。」

「握著我的手，艾飛。」

「我握著了。」

「你是一個好男孩。」她胸腔鼓起，慢慢吐氣，好像要把所有的恐懼、疼痛與依戀都吐出來，「我可以看得出來，你在試著做一個好男孩，對不對？」

「奶奶？妳要喝點什麼嗎？」

「不需要。謝謝，親愛的。」

我看不出來她是不是睡著了。有光照進屋裡，天已經亮了，黑夜漸漸褪去，怎麼會這麼快呢？

「奶奶，我愛妳，」我說，聲音哽咽，眼睛充滿淚水，「我很愛妳。」

為什麼我剛剛沒有告訴她呢？為什麼我要等到現在才說？為什麼我這一輩子從對她說過我是如此愛她呢？

過去那些日子，我總有其他事情要做，總有其他地方得去，其實，我是可以留下來陪她的。

謝謝她如此愛我。

「現在已經不痛了。」

「那很好。」

「留下來陪我。」

「奶奶，我在這兒。」

「親愛的，留下來陪我。」

這所學校跟我以前教過的那所很像。校門口擠出一群男孩，有人故作硬漢狀，有人彼此打鬧，有人則大搖大擺，怕別人誤認他沒自信，我馬上就可以分辨出，這些人中誰是強者，誰是犧牲者。

與黛安娜中學唯一不同的地方是，這個學校有女生。她們改變了氣氛。有些女生看起來還像小孩，有些則像長成的女人，只是夠年輕，可以留直直的長髮，穿短裙，清楚自己在這群男生中的威力。我看到她了，她獨自一人。

「紫梅？」

她倏地臉紅。

「你在這裡做什麼？」

「我有車，我送妳回家。」

她跟著我走向車子，毫不理會旁人的取笑：妳男朋友啊，紫梅子？我不羨慕妳，紫梅子。

我們坐進車裡，我沒有馬上發動引擎。

「你在這裡做什麼？」

「我想親自告訴妳。」

「告訴我什麼？」

「奶奶死了。」

「她死了？」

「今天早晨。我不想在電話裡告訴妳。我知道她對妳很重要，妳對她也很重要。」

紫梅沒說話，只是看著前方。我在腦裡搜索著一般人常用的安慰話語。

「她到後期，已經非常不舒服。所以我們應該慶幸她不用再受折磨了，她已經安息了。」

紫梅還是沒說話。

「紫梅，她很長壽，將來有一天，我們會感謝她有過一段美好的人生，而不會為她的死悲傷。」

「她是一個……」

「紫梅，妳……」

「一個我可以自在地跟她在一起的人。我知道我媽希望我長得漂亮一點，減肥、考慮換個不同的髮型之類的。我爸爸則要我兇悍點，不要被人欺負，要保護自己。」她搖頭，「學校的同學希望我爬出去死。去死吧，紫梅子。而她，她是一個完全接受我的人。」她笑了，「一個喜歡我的人。」

「紫梅，妳母親很愛妳，妳知道的。」

「但是愛一個人跟喜歡一個人是不一樣的，是吧？跟接受一個人原本的樣子也不一樣。

我想，愛很好。但事實上，我還不太懂，我只要被喜歡就好。」

還有許多事要做。

有許多事要做是件好事。

因為奶奶死在家裡，所以要請警察來家裡做報告。救護車是最先到達的，可是我們已經不需要了，醫生趕來剛好進行正式的死亡宣告。殯葬業者是最後到的，他們把我奶奶包好，以便運出房子。奇怪的是，奶奶在那個白色小公寓單獨居住了許多年，為什麼死後會突然引起這麼多人到家裡來。

這段時間，是近幾年來父親與我互動最頻繁的時候。我們一起去登記死亡，沉默的坐在等候室，裡面擠滿辦理出生登記的興奮夫妻。我們一起到殯儀館挑選棺木，決定車輛，安排葬禮。

我們還到花店替父母挑選一個大的花圈，替我自己選了三個小花圈，花圈是奶奶最愛的紅玫瑰。再去主持葬禮的教區牧師處商討事宜，他的態度冷淡，因為奶奶生前覺得年紀大的女人沒有上教堂的必要，她晚年只有在舉行婚禮、有機會看到穿白婚紗的年輕少女時才會去教堂。

最後我們去她的小小公寓。我們順利辦妥一切瑣事，除了牧師，所有人都以同情、理解的態度收下我們的信用卡，然後告訴我們下一步該做什麼。唯有奶奶的白色小公寓，我們完全不知道該如何處理。

這裡有她人生的痕跡。我和父親面對著奶奶留下的衣服、照片、唱片，從西班牙、希臘、愛爾蘭與香港帶回來的紀念品，我們對看許久，完全不知如何著手，我們無法決定是該保留，還是該把它們丟到外面的垃圾桶。

她的東西。

我想過全部保留，但我清楚知道那樣有點可笑，也不太可能。最後我們決定捐出衣服與傢俱，我留下唱片，父親則留下照片。即使如此，處理得過程也不簡單。

父親翻開一本老舊的黑白照片本，裡面有許多是在他出生以前照的，有他的父母、姑姑、叔伯小時候的照片，還有一些他根本不認識的人。

那些完全是奶奶自己的記憶。

現在，要捐東西太早了，要丟東西也太早了，改天吧。

現在，我只選了一樣紀念品。

一瓶叫「誘惑」的紅色指甲油，瓶子上有張小條子：用指甲掐住他。讓我想起那個擦大紅色指甲油的八十歲老女人，這是我許久以來的第一次微笑。

她實在很可愛。

父親好像被那些照片纏住了。這裡有不少相本，數個裝滿褪色照片的鞋盒子，許多古早泛黃的黑白照片，一堆還裝在沖洗袋裡的照片。

婚禮，銀行假日，聖誕節，生日，禮拜天下午，那些過去的日子。

父親發現一本剪貼簿，裡面貼滿與他有關的報導，從他年輕時當一個體育記者開始，到出版《有橘子的聖誕節》。

父親看起來很感動，又有點謙卑。不，或許應該說是迷失。顯然他從不知道奶奶有一本有關他的剪貼簿，他從來不知道他的母親是如此以他為榮。他看起來……怎麼形容呢？也許是羞愧，也許是孤獨。是的，父親覺得孤獨。

我可以理解。人非得等到雙親都離開人世後，才會感覺到全然的孤獨。

37

從火化場回來後，我收到一通潔姬的留言，要我馬上回她電話。今天是我在邱吉爾的學生、也是潔姬考試的日子。她聽起來很急，我以為是因為她的夢想又向前跨了一步。

我錯了。

「艾飛？」

「妳還好嗎？準備好了嗎？」

「我不去考試了。」

「什麼？為什麼？」

「是紫梅。」

「她怎麼啦？」

「她離家出走了。」

A級英文考試的地點是在國王十字架附近的一家學院。

那裡擠滿了神情緊張，或有信心，或已自我放棄的學生，潔姬也在其中。她今天穿得很正式，正站在教室外等我，她看起來很緊張，不過和其他人不同，她不是為了考試而緊張。

距離下午三點的考試只剩下五分鐘，但她一點兒也不在乎。

「學校打電話給我，問我她去哪裡。後來我在手機上聽到她的留言，她說她想離開。艾飛，她不見了。」

「她的父親呢？朋友？」

「她沒有跟她父親在一起。她沒有朋友，現在你奶奶又去世了。」

「我會找到她的，好嗎？」我看看手錶，快三點了。「妳現在一定要進去，妳不能喪失妳的機會。」

「女兒不見了，我怎麼還能思考那些無聊的東西？」

「她會回來的，妳不能就這樣放棄。」

「我不在乎那些東西與學位了。卡森．麥克勒絲，悲哀老人的那些詩，他根本不曉得什麼是愛。這都是我的錯，我不知道自己在想些什麼，我到底在跟你學些什麼。我浪費了多少時間在研究戲劇裡的情節，那些老掉牙的東西。我應該多關心我的女兒。」

「妳是關心妳的女兒，妳一直很關心她。」

「我們到底怎麼了？到底發生了什麼事？我想知道我們到底怎麼了。」

「請妳不要再說了，這麼說既幫不了她，也幫不了妳。進去吧，好好考試吧。我會找到她的，我保證，她不會有事的。」

「我只要我的女兒回來。」

「她會回來的。進去吧。」

她兩手叉腰，「這裡有狗嗎？你以為你是誰？你在跟誰說話？你又不是我丈夫。」

「去吧，潔姬。」

她瞪著我，好像這一切都是我的錯，我跟那些憤世嫉俗的朋友的錯。她眼裡帶淚，緊閉的雙唇微微顫抖。但她最後還是慢慢跟著其他學生一起走向教室，她不斷回頭，眼裡滿是充滿敵意的眼淚，直到門被關起。

我前往市中心找紫梅，身上還穿著參加葬禮的衣服。

我來到萊斯特廣場，西區華麗腐敗生活的中心點，我邊走邊看那些擠在門口、逗留在公園、蹲在街頭的小孩。我沒看到紫梅。

我往北走，轉進科芬園。街上有一堆小孩，只有幾個明顯是翹家，只有離家出走的孩子會托著睡袋走過廣場，對街頭賣藝、耍把戲的小丑視若無睹。那些街頭賣藝者中有個人的特技是不移動，連一吋也不動，我看著那個人，心想紫梅也許不在倫敦。

我的手機響起，是潔姬。我告訴她我還沒找到，我叫她先別擔心，先回班士登去等消息。

她想過來和我一起找，但我說服她必須有個人待在家裡接電話，也許紫梅會打電話回家。她勉強同意我的說法。

我想知道她的考試如何，但潔姬拒絕討論，甚至有點生氣我一直問，好像她想回去讀大學，想唸書，想拿學位，討論詩與戲劇，這些過去對她來說很重要的事，現在全成了問題的根源。

好像人有夢想，是會被處罰的。

太陽下山，城市換上另一種面貌。上班族回家，夜行動物湧進市區，蘇活，科芬園，牛津街。我想紫梅不會在這裡，這些咖啡店的高聲笑鬧、無意義的談話，不是她的風格。所以我走進車站，從利物浦街東邊開始，倫敦大橋，國王的十字架，伊頓，往西則有帕丁頓和維多利亞，我一站又一站尋找，看見一群又一群的小孩背著背包或睡袋。一開始，我分不出來哪些小孩要回家，哪些小孩無家可歸，要到將近半夜時，才能比較明確的分辨。那時，要回家的小孩會專心看著時刻表，不回家的則眼神散漫，或正小心注意躲在暗處窺看他們的男人。

還是沒有紫梅的足跡。

我本來要打電話給潔姬，但卻突然想起我遺漏了聖潘克拉斯車站，它在伊頓的下一站，一個像維多利亞式聖誕蛋糕的車站。

我沒有什麼特殊理由相信她在那裡，而且那些尖塔窗樓讓聖潘克拉斯看起來像個結局美滿的童話故事，可是，和其他車站比起來，這個車站是如此不同。

就像紫梅。

chapter 37

聖潘克拉斯車站比一般車站小，也不那麼人工現代化，它像郊區的車站，而不像市中心那些沒氣質的大教堂。她不在那裡。時間已經很晚了，許多人正在跑步趕最後一班車。我已經打算放棄，準備打電話給潔姬，叫她報警，這時，我注意到不遠處的一個電話亭。

骯髒的球鞋旁放了一本書，是那本我買給她的書，大厚板的《Smell the Fear, He-Bitch》。我敲敲電話亭，拉開簾子，她在裡面。她睡著了，頭髮蓋著臉。我叫她，她醒了過來。

「你怎麼穿這樣子？」

「因為我奶奶。」

「喔。」

「妳媽媽非常擔心妳。」

「我再也無法忍受下去了。我受不了了，沒有人會受得了的。」

「莎蒂與米克那一幫人是嗎？」

「你來過學校後，他們更是變本加厲。」

「紫梅，我很抱歉。」

「他們不停地嘲弄我，說我有一個老……老……老男朋友。他們說：『妳在哪裡碰到他的，紫梅子？』我告訴他們，你是老師，沒想到他們笑得更厲害。米克說，你像個已經喪失所有機能的老師。」

「可惡的米克，我還沒那麼老。」

「我知道，你只不過是中年歲數。」

「紫梅，謝謝，非常謝謝妳。」

「不客氣。」

「抱歉我讓妳的日子更難過，我不是有意的。」

「我知道。你只是要告訴我你奶奶的事情。我很高興你親自來跟我說。這不是你的錯。如果不是你，他們也會拿其他事來嘲笑我。」

「所以，妳打算去哪裡？」

她聳聳肩，撥開頭髮，看看開車時刻表，好像她真的有張車票在口袋裡。

「不知道，任何地方，只要不是班士登就行了。」

「我不太確定那是可行的。那是妳的家，有人愛著妳。相信我，像那樣的地方不容易找到第二個了。我們可以走了嗎？回家去？」

她又聳聳肩，繃著臉，頭髮又蓋回臉上。

「我喜歡這裡。」

「妳喜歡這個電話亭？」

「是啊。」

「很舒服的一個電話亭？」

「還好。」

「真的？」

「沒什麼特別，就是一個電話亭。不要再說了。」

我撿起她的書，「還是大厚板迷？」

「那當然。」

「我也開始喜歡他了。對青少女來說，他也許稱得上是個模範角色。」我翻開書，「妳喜歡他說過的話，例如做一些有人性的事嗎？」

「還可以啦，我比較喜歡看他打擊壞蛋的樣子。」

「是，是。妳想，如果是他，他現在會怎麼處理？」

「什麼意思？」

「如果他被欺負，他會怎麼做？會跑到電話亭裡睡覺？還是挺起胸膛面對欺負他的人？」

「算了吧，我不是他，我不過是一個胖失敗者。他是個超人，那正是為什麼他那麼有名。」

「我個人認為妳比他堅強，強壯，勇敢。」

「你瘋了。」

「妳把生活中的一堆垃圾事件應付得很好，妳知道，父母離婚、媽媽辛苦工作以讓妳們母女溫飽，還有那些討厭鬼。如果妳是個懦弱的女孩，妳怎麼可能支撐那麼久。妳比米克、莎蒂他們勇敢多了。只會欺壓別人的人才是膽小鬼。我可以發誓，妳也比他們仁慈多了。」

「仁慈走不了多遠。仁慈讓你被欺負、被打壓。」

「我不知道。看看我的奶奶吧，我們之所以愛她，不是因為她可以打擊所有的退休老人、可以擠到等車隊伍的最前面吧，那都不是我們愛她的理由，是不是？」

「我想不是。葬禮還好嗎？」

「火葬。還好，我們盡力了。很多人來參加，有許多我多年沒見的朋友。那真像一場夢，真的，有那麼多張臉聚集在一起。她有非常多朋友，紫梅，他們對她的感情都是真的，他們愛她。她激發了愛。那裡到處是花，放著她最喜愛的詩歌〈Abide With Me〉和辛納屈的〈One For My Baby〉。

「聽那些老歌心情很不好。」

「那是葬禮，妳還能期望什麼？難道要唱〈我今晚有角，有角，有角〉？也可以啦。妳應該來參加的，妳就會知道我在說什麼。」

「我不喜歡葬禮。」

「那是最後一次道別。」

「我不喜歡道別。」

「沒有人喜歡，但那就是人生，一連串的『哈囉』與『再見』。」我想起在公園裡與喬治推手，不管喜不喜歡，你都得學著跟隨他的手移動，尋找勇氣去做該做得事。「妳看，紫梅，妳以為妳是唯一一個有這種感覺的人，事實上，有許多人跟妳一樣，也會感到害怕、孤獨。一個會悲傷的人遠比莎蒂或米克那樣的人好多了，這是大厚板的意思對吧，妳並不奇怪，他們才是奇怪的人。我明白妳覺得這種日子好像沒有盡頭，可是相信我，會有結束的一天的。」我摸摸她的頭，撥開她的頭髮，我發現她在流淚，「紫梅，怎麼啦？哪裡不對呢？」

「我想念她，妳的奶奶。」

「我也想念她。妳對她很好，妳讓她晚期的日子過得更好。沒有人在妳這個年紀能那樣照顧她，妳應該為自己感到驕傲。」

「那是因為我喜歡她，她很有趣。」紫梅笑了，「嬌小的老女人喜歡看運動摔角，她夠酷。」

「她也喜歡妳，她看到的妳，不是米克，莎蒂或別人可以看到的妳。她看到的是真正的妳。」

「你真的這樣想嗎？還是只想讓我走出這個電話亭？」

「我真的是這樣想。聽著，我們可以回家了嗎？」

「可不可以再坐一會兒？靜靜地坐在這裡？」

「紫梅，妳想待多久，我們就待多久。」

38

紐西蘭園丁似乎喜歡上我的母親。我不懂，怎麼會有紐澳人取名為朱利安，他跟我媽討論防範鳥患與翻鬆花圃，他到底在想些什麼。

我看著他們兩個人在後院，嗯，防範鳥患與翻鬆花圃。

我有你的電話。

此時已接近夏天。朱利安經常對母親在園藝方面的見解大表贊同。他的欽佩倒是實話，她的確知道如何處理樹木和花草。他若是碰到母親與我或喬伊絲在廚房裡喝茶的時候，他進來前一定會敲門，即使門是開的也一樣。他會站在門口，呆呆地望著我母親。

「他是不是在追求妳？」有一天，趁著只有我們母子，我這樣問她，「那個朱利安？」

母親笑得像個少女。

「朱利安？追我？什麼意思？你是說看上某個人嗎？」

「媽，妳知道我在說什麼。妳比我瞭解那些年輕人的用語，那得謝謝妳在尼爾森曼德拉高中的孩子們。」

「他當然不是在追我。我們只是聊天，聊花園。」

「他看妳的眼神很特別。」

「什麼？」她顯得很得意。

「他好像在暗戀妳。」

我又高興又驚訝。我高興母親並沒有將自己關在世界之外，可是同時，我又不太能接受她外出約會，或任由一個粗獷的澳洲人將他粗糙的手指放入她的泥土裡。

「他邀請妳出去過嗎？」

「邀我出去？你是說，晚餐，看電影嗎？」

「是的。」

「還沒有。」

「還沒有？妳認為他會？妳認為他會找理由邀請妳出去嗎？」

「我不知道。」

「但是如果妳說還沒有，那就是以後會發生了，對不對？」

「親愛的，是啊，我想我可以這麼說。」

「媽，我看到他看妳的眼神。天啊，他一定會的。」

母親從桌子另一頭伸手拍拍我的手。她不再取笑我，而是溫和地微笑。

「親愛的，不要擔心，」她說，「我已經不會了。」

她不是指她不會出去吃晚餐或看電影，而是指她不會再擁有性與羅曼蒂克的關係。我可是不太贊同她的想法。

隨著年紀增長，我越覺得人永遠不會停止這方面的需求。

父親租來的小公寓，明顯是單身漢的房子，沒有其他人的痕跡，更沒有莉娜的痕跡。我每個星期都去看他。他的公寓實在很小，沒辦法同時容納兩個人太久，於是我們常常到轉角一家中國餐館，那裡的北京烤鴨非常道地，服務生說得一口純正的倫敦腔英語。中國面孔，配上來自倫敦東區芬利奇的聲音，現在的世界全混成一個地方了。

父親的公寓看起來不像以前那般悲哀了，我終於鼓起勇氣問他跟莉娜到底是怎麼回事。他說她想外出跳舞，而他想留下來看高爾夫球頻道。他的要求其實不多，只是想看高爾夫球頻道，也許不是他真正想要的，但至少是希望之一，現在，沒有人會阻擋他了。現在他可以大聲放他想聽的音樂，馬文蓋，黛米泰瑞爾，史摩基羅賓遜，奇蹟，黛安娜蘿絲與至上合唱團。不會有人告訴他那些人已經過時了。

他花許多時間整理從奶奶房子拿來的照片。那些鞋盒、損壞的相本裡的照片。照片裡有些臉孔至今還是個謎，有些則像他自己的臉般熟悉。他花很長的時間看那些照片，回想過去的情景，想他如何從擁擠的東區，遷移到現在這個安靜的北區。

他沒有繼續寫作。他一直騰不出時間。但是，那些幼年的記憶又重新包圍著他，那些早已過去的生活點滴永遠不會離去。我想，他或許會再提筆。

父親知道，他得回到最初的起點。

我剛走到公園邊，就看見喬治。

他單獨一人，沒有那些裝腔作勢、巴望減輕壓力的城市人，也沒有掛著腳踏車手環、腳踩拖鞋的嬉皮想在兩堂課裡得道。更沒有我。我們都拋棄了他，各有很好的理由。現在他獨自一人，就像我第一次見到他。

他手拿一把刀，把柄處繫著一條紅白色緞帶。我站在那兒，看喬治練武術。

突然，他以單腳站立，從背後用手傳遞刀子，他以不可思議的速度與熟練度翻轉刀子。我看著那把刀從頭頂滑下，紅白色緞帶滑過脖子，再掉落到膝蓋高度，最後對準假想敵的喉嚨，這一連串動作純熟的像一股銀白色水流翻滾在他手裡。

我真希望紫梅可以看到這一幕。我的第六感告訴我，喬治是紫梅一直在找的人。

大厚板耍弄得不過是壯觀的血與肉。

等他結束所有的動作後，我走向他。我覺得有些罪惡感。或許其他人可以毫無感覺地讓太極拳消失，可是我不行。

「抱歉，很久沒見到你了，我一直很忙。一切都好嗎？」

他簡單地點頭，沒有責怪或怨恨。好像我的消失，是預料中的事。

我看著他把刀收進牛皮刀套。這一刻，我忽然領悟到我為什麼要向這個男人學習太極拳。我不是為了減輕壓力、減輕體重、學習呼吸，也不是想在推手的過程中想通人生，更不是為了學習接受變化。

我只是想和他一樣。

就是這麼簡單。

冷靜而不被動，剛強而不具侵略性。一個居家好男人，心地善良，身體健康。這些都是我從我父親那裡學不到，所以希望喬治張可以教我的。

「我也很忙，」他像是看透了我，「我兒子跟他太太要搬出去。我有許多事要安排。」

我簡直不敢相信自己聽到的話。如果有一件關於張家的事是我絕不懷疑的，那就是他們是拆不開的。我希望我的家也能像他們家一樣，永遠拆不開。

「哈勒跟桃樂絲要離開上海龍？」

喬治點頭。「我兒子的太太認為現在住的地方環境不好。許多醉鬼會在門口尿尿、打架。那裡是有許多迷人的房子，生意不錯，但是也有一些無用的人。對小孩子不好。我認為她想要，」他望著郊區方向，「搬到瑪士威爾高地或魁克梧德。然後自己另外開家餐館。黛安娜與威廉可以讀好學校，也沒有人會在門口灑尿、打架，或隔著門被威脅。」

我呆住了。「哈勒答應了嗎？瑪士威爾高地與好學區？離開上海龍？這已經太多了不是嗎？」

「要不然能怎麼辦？她是他太太，他要聽她的話。現在跟從前的中國不一樣囉。」

「喬治，你一定很難過，你跟喬伊絲一定都很難過。不是因為沒人幫忙，不是因為想念孩子，而是因為家庭被拆開了。」

「我跟我太太必須瞭解家人也會改變。我兒子與他太太，以及他們的小孩，他們是一個新家庭。一個家庭總是分分合合的。我聽說瑪士威爾高地是個不錯的地方，我不是很清楚，從來沒去過。我喜歡目前住的地方。搬去那裡或許對他們一家人來說是好的。」

喬治望著遠方的樹，好像在想有著乾淨街道的瑪士威爾高地，沒有醉漢的中國餐館，沒有人威脅要揍你。一個他不太能想像的未來。然後，他回頭對我微笑。

「家就是這麼好玩，」他說，「即使再好，也是會變。」

邱吉爾的卡拉ＯＫ大會在一間蘇活區日本餐館的小房間裡舉行。

學生們擠在那個小房間裡，等餐館老闆接好線路。老闆不是日本人，而是個廣東人。日本與中國學生聚集在一起研究歌曲目錄，優美、弘子、敬恩和曾擠在一起找他們想唱的歌。至於其他的人，維托、凡妮莎、亞斯楚得、伊恩崙、哈密栩、藍尼和我，則一邊點飲料，一邊思索如何毫無痛苦地度過今晚。我們只需稍微看一下歌曲目錄，就知道自己處在一個連接招合唱團都成了老金髮族的世界。

優美、弘子與敬恩對曲目非常滿意，因為上面有許多日本歌，曾則不太高興，雖然老闆是廣東人，卻沒有中文歌曲。他個人認為這是國家的恥辱，可與鴉片戰爭相比擬。

日本，這個極端壓抑情感的民族，唱起歌來卻一點兒也不害羞。我同意哈密栩的說法：在不可任意發洩情緒、還期望人們保有繃緊的嘴唇的社會，卡拉ＯＫ提供了一個發洩情緒的管道。

優美的歌聲很甜美，弘子雖然唱得不好，可是感情豐富，而且還不太願意放下麥克風。優美與弘子合唱了安室奈美惠的〈處女之路〉（Can you Celebrate?），很美。

「日本的瑪丹娜。」優美說。

「非常流行的婚禮歌曲。」弘子說。

至於我們這些不是既不來自日本也不來自中國的人，就完全無法跟上那些東亞人的開放情緒，直到阿巴合唱團的〈認識我，認識你〉（Knowing Me, Knowing You）才好點兒。藍尼唱了首怪異版洛史都華的〈你們認為我性感嗎？〉（Do Ya Think I'm Sexy），哈密栩唱布朗斯基必特的〈小城男孩〉（Small-town Boy），他的聲音感人到連藍尼都聽得很專心。然後輪到我。

以往我都是唱貓王的歌。貓王的歌可以讓你沉入男低音，顫抖著一路到底而不覺勉強。唱貓王的歌，容易過關。

但今天，我挑了辛納屈的歌，那首敘述某個在酒吧喝酒的男人，酒吧快關門了，而他有一段故事急需與人分享——〈One For My Baby〉。

你永遠不知道
我的朋友，我像一個詩人

那首歌讓我想起我的夢想，那個在另一個人生裡的夢想：當一個作家，很久以前，在遙遠的地方，那就是我的夢想。而我的父親經做到了。

不，我看著這群臉上發光的學生。那不是一個夢想。那是一個計劃。

潔姬通過考試了，她拿到A，可以進大學了。我為她驕傲，同時也感到悲傷，因為她再也不需要我了。

她請我出去吃晚餐。我告訴她，我要請她去上海龍吃飯。可是她說，這次她一定要請我，請我到城中區科芬園裡的一家小義大利餐館，據說有現場演唱。那晚我們到達時，現場演唱剛好有點問題。那裡只有一個手風琴手，兩個吉他手，以及一個中年歌手。但他們仍然照常演唱，並將音量轉到十一。

小樂團在桌子之間徘徊，他們的歌聲讓我們幾乎聽不見彼此的聲音。但是今晚，我們是不會讓這些瑣碎小事破壞氣氛的。

潔姬通過測驗。夢想實現。

「下一步是什麼？」我大聲叫著。

「我要把夢想機器收起來，」她回以吼叫，「我已經花夠久的時間在我的膝蓋上了。開學之後，我要找些兼職工作，以免影響到我的功課。然後我才可以專心拿學位。」她舉起紅酒杯，「然後，我就會快樂地過一輩子。」

「什麼時候可以再見面？」

她搖頭，我以為她沒聽見我問什麼。

其實她聽得很清楚。

樂團來到我們這桌，他們向我們鞠躬，然後彈起狄恩馬丁的〈與我共團圓〉（Return to Me），歌手有點走音。潔姬跟我互相看著對方。音樂太大聲了，我們不方便說話。她突然大笑起來，我也笑了起來，可是我還是想叫他們不要唱下去了。

「拜託，」我說，「她是我的學生。我是她的老師。請尊重我們神聖的師生關係。不要再唱了，好嗎？」

他們不管，逕自唱下去，好像我們是對情侶。但我們不是。好像我們已經在一起了。

「什麼時候可以再見面？」我大吼。

他們突然停止。

我發現自己對著完全安靜的餐館大吼。

chapter 39

39

「酒，女人與雪茄。」賈思不斷嘆息。我們正坐在候機室，等著飛往阿姆斯特丹。「有黑色玻璃窗的咖啡廳，紅燈區，成人電影。這是我與漂亮老婆定下來前的最後一趟冒險。」

我們打算到阿姆斯特丹舉辦賈思的告別單身派對，除了我之外，還有大約十二個他辦公室的朋友，除了我以外，全都還穿著西裝。我們一行人吱吱喳喳，興奮地聚集在英國航空的櫃檯前。

倫敦到阿姆斯特丹的航程只要四十分鐘。很快的，我們已經辦好住宿登記，漫步在樹木扶疏的運河兩岸，高高的樓房映入水面，滿街都是腳踏車，印度大麻的甜味從咖啡館裡散發出來。

剛開始我們一行人還挺嚴肅的。賈思在一家印尼餐廳訂了一張大桌子，他的朋友們很吵，但十分友善，沒有我原先想像的低俗，晚餐的氣氛很輕鬆、愜意。

可惜之後開始走下坡。

「艾飛，等等你就知道了。」我們分乘幾輛計程車，在車裡賈思告訴我，「今晚要你蒙起眼睛做愛。」

「那很不錯，我們到底要去哪裡？」我有股不好的感覺。

「你看著吧。」他笑。

我們來到一棟兩旁有整排榆樹的房子前，旁邊還有一艘大型客船停在運河上。這裡很安靜，唯一的聲音是遠處傳來的腳踏車鈴聲，我們似乎離紅燈區很遠。兩個穿西裝打領帶的壯漢守在門口，也許我們並沒有離得太遠。

「先生們，歡迎光臨。」他們好像瞬時收走了我們的衣服、醉意和信用額度的上限。

我們付了一百五十基爾德荷幣進門，大約是五十英鎊。裡面很大，以前一定是某人的住所，現在則有別的用途。

一個穿西裝打領結的中年人向我們解說付費方式。

「賈思，」我拉他的袖子，「這不是酒吧，這是妓女院。」

「喔，不要那樣正經八百的，」他說，「別擔心，我幫你付錢。」

「可是我不想……」

「閉嘴，好好享受一下，可以嗎？不是為你，是為了我。饒了我吧，艾飛。我下禮拜就要結婚了，替我高興一下，可以嗎？這是我最重要的一晚，揮別單身漢的派對。」

我們走進一間維多利亞式的客廳，有百葉窗和厚重窗簾，幾個穿超短衣裙、濃妝豔抹的女郎正與一群生意人坐在軟沙發上談笑。

客廳一角有個吧檯，一位光頭、面無表情的黑人站在那裡，使整個客廳看起來不那麼維多利亞。我們支付的費用裡包含幾杯酒，年輕女郎們笑容可掬地端來一杯杯酒，一邊算計她們今晚的餌。

我們受寵若驚，以為自己很有魅力。她們圍繞著我們，大部份是金髮，少數是印度人、亞洲人和黑人。賈思的朋友們全點香檳，貴而冷，就像女人。

我看了一下酒單，一瓶香檳，和帶一個女郎開房間一小時的價錢一樣，都是五百五十基爾德荷幣，超過兩百英鎊了。賈思的朋友開始揮舞他們的信用卡。

一個高高瘦瘦的黑人坐在我旁邊，兩腳交叉，不斷往我臉上噴煙，她職業性地和我交談。

「你住哪家旅館？」她其實是在問：幾星級？

我禮貌性地微笑，轉向賈思。

「我不想破壞氣氛。」我說。

「那就不要。」

「這實在不適合我。」

「艾飛，你別在乎你那可憐的教師薪水，」賈思微笑，點了一根雪茄，勾著他手臂的金髮女郎冷漠地看著我，「我付錢。」他傾身對黑女郎說，「甜心，妳今晚好好侍候他，好嗎？」

黑女郎不冷不熱的笑笑，好像要把賈思剁碎灑在通心麵上當早餐吃掉。他沒注意，或者說，他不在乎。他咬著雪茄，一手環繞我，另一手環繞那個冷面女人。

「艾飛，你如何確定你太太死了？」

「我不知道。」

「性生活沒變，可是碗沒人洗。拖把太太還好嗎？」

「你知道嗎？你是一個有趣的男人。」

「她仍然在做四肢在地上的工作嗎？弄髒她的手指？做一般女人不做的工作？」

「為什麼你如此恨她？」

「我不恨她。我和她根本不熟。」他吹了一口煙，「老實說，你不會真的要跟她結婚吧？」

「她跟你一樣，賈思。」

「我不認為。」

「她一直想要改變她現在的生活。她希望有個比開頭更好的結局。」我舉杯敬他，「就像你一樣。」

雖然這裡的燈光並不明亮，但我還是可以清楚看到他臉色黯淡下來，「什麼意思？你這傢伙。」

「你改變了你的人生，不是嗎？你靠著自己完成昂貴的學校教育。你現在的作風不是來自你的家庭，你現在的作風就像你是查理王子，而不是來自沒有父親的小家庭。」

他看起來好像要揍我或大聲痛哭。或許兩者都有。

「艾飛，為什麼你不離我遠遠的？我真搞不懂自己怎麼會邀你來，然後還得替你付錢。」

「賈思，其實你沒有什麼好羞愧的，過去的事並沒有什麼錯。」這是我的真心話。我最喜歡賈思的地方就是：他瞧不起自己。「你想要更好，想要改變你的人生，就像潔姬。」

「你知道，我曾跟她上床。」

我大聲笑了出來，「我不相信，賈思。什麼時候？在你的訂婚晚宴，我上洗手間的時候？我知道你動作很快，但有點誇張吧。」

他不耐地搖頭。我們身旁的兩位妓女有些擔心地互相對看。

「不是潔姬，」他說，「是蘿絲。」

我突然無法思考。他想告訴我什麼？

「我的蘿絲？」

「你的蘿絲，」他哼了一聲，「她不是一直都是你的蘿絲，你這鄉巴佬。」

「賈思，不要拿她來開玩笑。」

「我不是在開玩笑。我告訴你，在你帶著充滿感情的雙眼，鮮花，羅曼蒂克的渡輪出現之前，我跟她發生過好幾次性關係。她床上功夫並不是很好，我們的蘿絲，太留戀星星夜晚了。」

「你在說謊。」

「在你第一次碰到她那天，我還跟她做過愛。在我的公寓，中樓，大約六點。然後我們一起坐車到文華酒店。你不曉得吧？她沒告訴過你，是吧？」賈思繼續抽他的雪茄，「是的，在你出現之前，我們正在進行一段辦公室戀情。不過沒維持多久，大概一個月吧。你幫了一個忙，從我手上接收她。」

我站起來，在他還來不及拿開雪茄之前，掐住他的脖子。

我對著他大吼，說他是個騙子——即使我知道他不是——他的臉開始漲紅。

站在吧檯的黑人抱住我，把我拉開，很專業地把我丟到地板上，然後把我拖離賈思和他那群受驚的朋友，以及一堆生意人眼前。

我的雙腳一直到那個黑人把我丟在房子外面才著地。

我走回旅館付錢離開，然後坐計程車到冷清的機場，準備搭第二天清晨第一班往倫敦的飛機。我知道我永遠不會再與賈思見面，我知道他從不瞭解我。

我並不恨他曾經與蘿絲交往。

我恨他不愛她。

潔姬與以往不一樣。

不只是變成熟，而是變成一個你一直想要當的人。

她沒化妝，這倒是新鮮事。她把頭髮留長，往後紮起馬尾，染色部份漸漸不明顯了。她穿著牛仔褲與圓領襯衫，看起來比之前年輕。她似乎沒那麼在乎外表了。但我還是可以一眼就認出她來，她有自己的風格。

我坐在大學外的一張長椅上，面對著校門。她與一群學生一起走下石階，他們背著書本，一路說笑。潔姬和一個高瘦、長髮的男人一起走離人群。

當他熟悉地將手環繞在她的肩膀上時，我的心開始往下沉。

這時她看到了我。

她走過來，那個男人的手還是在她的肩膀上，他不太確定地看看她的臉，又看看我。也許他的心也在往下沉。

「近來如何？」我問她。

「很好。」她說。我們對看許久，雙方都不知如何起頭，然後她轉頭用法語對他說，「我晚點去找你。」她告訴他。

「沒關係，我等妳。」他用法語回答，似乎還是有點遲疑。她對他笑笑，他才跨步離去。他知道無論我的出現有什麼意義，他們之間都不會改變。

「新男朋友？」我問她，想掩飾我的失望。

「只是朋友。」

「法國人？」

「什麼都瞞不過你。他跟我修同一門課。我沒告訴你，我更改選修科目了嗎？」

「沒有，妳什麼也沒告訴我。」

「我想過要打電話。抱歉，艾飛。我最近比較忙。」

「我可以理解。」

「我不修英國文學了，改讀歐洲研究。感覺不錯。你知道我的意思嗎？世界越來越小了。」

「紫梅好嗎？」

「很好。比以前能適應學校。」

「還是迷大厚板？」

「她已經慢慢不那麼著迷了。她這個年紀變化很快。大厚板也許跟芭比娃娃一樣，很快就會過時。那你呢？」

「很好，很好。邱吉爾還是老樣子。我有另一批新學生，好孩子，同時，我還沒跟她們其中任何人睡過覺。」

「你想過嗎？」

我搖頭。「跟芭比娃娃一樣，過時了。好像都沒有結局，老是回到原點。」

「哪一點？」

「希斯洛機場。其他都還好。」

「我真高興聽到你這麼說。」

「那不完全是真話。老實說，我有點寂寞。」

「寂寞？」

「我想念妳和紫梅，還有我們過去在一起時的情景。」

「喔，艾飛。」

「這就是為什麼我來這裡，我不要改變。我知道有些事一定會改變，但我不要失去那些，我不要失去我們。」

「你不能控制要發生的事。」

「我現在知道了。但我們難道不能抓住好的部份嗎？能堅持多久就算多久？」

「現在談你跟我，不嫌太晚了嗎？你不能現在要求我放棄這一切，我已經走這麼遠了。我不會快樂，你也不會。」

「我不要求妳放棄任何東西，我只是想要有一次最後的機會，潔姬，最後一次，把事情做好。我想要有一個家，不一定是傳統式的家，好嗎？可以是任何形式的家。我想要有一個自己的家，永遠獨自一人是件很悲哀的事，太悲哀了。」

「那蘿絲呢？你忘了她？」

「我永遠不會忘記她，也不會停止愛她。我現在學會了，我能以過去為榮，可以記住過去，甚至愛過去，但不能活在過去。」

「所以，你現在來索取你的未來？」

「是的。」

「可是，事情不是這樣子的。」

「不是嗎？」

「不是，你可能已經到了該認真索取未來的時候，可是我還沒有。如果你真的在乎一個人，你會讓她追求她的夢想。然後，或許將來有一天，她會回到你身邊。如果你真的在乎她的話。」

「妳是說，有一天妳會回到我身邊？」

「我們並沒有在一起過，不是嗎？」

「那妳認為，在妳拿到學位，遇到過許多有趣的人，跟一些很帥的法國男人交過朋友之後，妳還會想念我嗎？」

「我已經開始想念你了。」

「既然如此，那還有什麼問題？」

「我不知道。時間不對。」

「就只有這個理由？時間不對？」

「艾飛，我得走了。」

她真的走了。我看著她消失在學生群中，那些臉色發光的年輕人，嚮往著未來，好像未來是他們的私有財產。

她一次也沒有回頭。

奇怪的是，我並不覺得傷心。我的心不再有負擔，我已經回復原來的我。

我知道，即使我不會再見到潔姬，她也已經幫我找回一件我以為已經永遠失去的東西。

她幫我找回了信心。

我最需要的就是信心，不是嗎？

40

一年多以後，我再度出現在那個斑痕累累的收幣鐵筒前，投入兩元港幣，走過十字轉門，加入等渡輪的人群。

幾乎還是原班人馬，就算不是，我也分辨不出來。依舊是穿著白色襯衫與黑色領帶、不斷講著手機的年輕上班族，帶Prada包包的上班女郎，手握賽馬資訊的老人，還有我。

香港變了。不是她的外觀，雖然外觀一直都在改變，舊樓拆除，新樓建起，而是香港流著一股新的氣息。這裡已經不是英國，而是中國的一個城市了。她對過去毫無眷戀，她對未來充滿信心。這個地方已經不屬於我了，事實上，她從來就不屬於我。

即使如此，我依然愛她。即使不是我該愛的地方，我還是忍不住愛她。

我上樓到等候區，看著那艘熟悉的白綠相間的渡輪，我待會兒就要搭乘它去尖沙咀，遠處的中環有越來越多的高樓，綠色山嶺襯在後方，站在這裡，我可以望見遠方的維多利亞公園。

當我走向渡輪時，我突然緊張起來。我知道這是很笨的想法，但我還是在等待，希望蘿絲會即時趕上渡輪，在他們升起甲板之前衝上來，她仍舊如以往美麗，抱著一大箱的法律文件，正要到歷山大廈。

當然，蘿絲沒有出現，她永遠不會出現。他們拉起甲板，我知道我必須自已走完往後沒有她的陪伴的旅程。

就在這時，我看到她，一個年輕的女人，穿著兩件式套裝。她抱著一個大箱子，身體微向前傾，以免箱子掉在擁擠的天星小輪上，黑髮散亂地蓋住她的臉。我站起來，那一瞬間，我彷彿在對鬼說話。

「小姐，對不起？」

直到她抬起頭來，我才發現她是中國人。她很年輕，大約只有二十五歲——雖然我現在已經知道，要猜中亞洲女人的年紀有多困難。

「妳要坐下來嗎？」

剛開始的幾秒鐘，她只是透過金框眼鏡看我，然後她似乎突然相信我沒有惡意，給了我一個微笑。

「謝謝。」她說。她有美國西岸的口音，是曾在美國唸書嗎？有可能。雖然她不一定得離開九龍去學美國腔。

我稍微往旁邊擠，騰出足夠的空間給我們，她坐在靠走道的那一邊，大箱子則坐在我們的腿上，裡面有一堆文件。

「妳是律師？」

「不是，」她仍在微笑。「我是會計師，還在受訓。你呢？遊客？」

「喔，不，我是個作家。」

「真的？」

「不過，還在試。」

「試？」

「我想要寫有關這個地方的故事，然後或許賣到別的地方。但我非常確定這是我要寫得地方。」

她的笑容充滿驕傲，而不是禮貌性的微笑。

「你喜歡香港？」

「沒有一個地方像這裡，從來沒有過，以後也不會有。這是一個世界熔爐，哪國人都有。」

「你第一次來這裡？」

「喔，我以前來過，感覺像好久以前。」

兩個年紀比較大的水手解開套住九龍的繩索，中國的一個小角，天星小輪駛出港口。七分鐘，從九龍到香港只要七分鐘。這趟航程常常讓我心急，因為一個完美的旅程很快就要結束了。只有七分鐘，我根本來不及感受。

或許，我應該樂觀點，即時享受。

「你平時寫些什麼樣子的文章？」她問。

「我？我還沒寫過。我猜，我會寫我自己。我還沒出版過任何一本書。現在也沒有人要求我寫香港，我只是覺得我一定要寫，妳有過那種感覺嗎？」

她笑著，「常常。」

「一定要有點信心，是不是？」

「喔，是的，一定要有點信心。」

我們不再說話。海水稍微減去夏天的熱氣，我轉頭望向打開的窗戶，看著繁忙的港口，老中國舢舨與光腳的船夫，大型客輪，拖船，採撈船，水上警察，新式渡輪比起白綠相間的天星小輪，光彩多了。

天星小輪是老香港的一部份，就像維多利亞女王、文華酒店的外國人以及星期日的私人遊艇。天星小輪屬於那個已經失去的時代。

或許我是錯的。天星小輪仍然行駛於香港和九龍、工作和休息、過去與未來之間；它們還在，白星，晨星，光星，所有白綠相間的船，香港所有跳耀的星星，都還在。

我想起奶奶總是收集屬於別人的假期的紀念品。我想起喬治張總在腦中放著無聲的歌，獨自一人在另一個世界移動。我想起想重新開始的父親，母親和她生命中的新男人，潔姬和她的法國男友，還有學著如何在原有的外觀下尋找快樂的紫梅——這個我們要花一輩子學習的功課。

然後我想起我死去的妻子，以及永不能及的未來。我不想讓身旁的女孩看出我的失落，所以轉頭背對著她。

人生其實很有趣，你深愛某樣東西，然後有一天，那樣東西就突然消失或改變了，永遠不再出現，但愛並未停止。也許，這是你辨別真偽的方式。真正的愛不帶任何條件，沒有有效日期。當你只是一直付出，那就是真正的愛。而真正的愛，是不會改變、變質，甚至不會失去的。

很快的，我們已經到達對岸。太快了，一個短暫、美妙的航程，老是結束得太早。女孩站起來準備離去。我們互相微笑，她今晚會有什麼節目呢？會有一個英俊的男孩在城市的一角等待她嗎?我為她感到高興。

「祝你寫作順利。」她說，「我會為你祈禱。」

「謝謝妳。」

女孩用她纖細的手臂舉起箱子，給我最後一個微笑，然後就消失在沒耐心的人潮裡。

我再一次轉向打開的窗戶，突然看到兩個人在中環的午餐人潮中移動，是潔姬與紫梅。

她們提著一堆購物袋，脖子上掛著相機，不知為了什麼有趣的事在笑。

我笑了起來。看著渾然不知有人正觀察著她們的兩人，她們看起來比較像姐妹，而不是母女。

潔姬與紫梅在這裡，正走向天星小輪的碼頭與我碰面。她們還沒有看見我，但很快就會看見了。我看著她們跟著一群陌生人移動，消失在渡輪碼頭的地下道，也就是我們約好見面的地方。我以前為什麼會認為人生可以有許多的愛呢？

天星小輪漸漸開進碼頭，我站起來與大家一起等甲板放下來，所有人都急著下船。大家無聲地等待，就像一個終於要回家的人，或是一個等待出生的嬰孩。